パンデミックとアート　2020-2023

忘却と反復　2024

　この「まえがき」を書いている現在は2024年の3月も後半で、本書が焦点を当てている新型コロナウイルス感染症が世界保健機関（WHO）によりパンデミックと認定（2020年3月11日）されてから、すでに丸4年が経過した。さらに、国内での感染症法上での位置づけも2類相当から5類へ変更（2023年5月8日）され、その対策が大幅に縮小されるきっかけとなってまもなく1年が経過する。街はコロナの脅威などなかったかのようににぎわい、以前の日常が戻ってきているように見える。人によっては、国を挙げてのあの大騒ぎはいったいなんだったのか、と感じる人もいるだろう。事実、もっと早く普通の生活に戻してもよかったのではないか、という声を聞くことも少なくない。だが、本当にそうだろうか。

　なぜそう問うかと言えば、本書でも何度も触れているとおり、同様の忘却が100年以上前に起きているからだ。人類が新型コロナウイルス感染症に見舞われるまで、わたしたちはかつて、地球規模で膨大な数に上る犠牲を出した通称「スペイン風邪」についていて、すっかり忘れていた。数だけで言えば、この感染症による死者は、過去のどんな戦争よりも、自然災害よりも桁違いな規模の災厄だった。いかなる戦争も、過去二度起きた世界大戦でさえ、実際には「世界」というには局所的なものであり、感染症と同様に世界史的には忘れられてきた大津波や巨大地震といった自然災害でも（ただし種がまるごと滅亡するような地球への巨大隕石の衝突や破局的な火山の噴火を除いて）人類規模とするにはまだ足りない。ところが言葉の真の意味で、20世紀初頭に起きたスペイン風邪の大流行や、21世紀になって突如としてわたしたちが直面したコロナ・パンデミックは、地球上に住むすべての人が影響を受けたという意味で、まさしく「人類」規模だった。

問題は、そのような人類規模の大災厄を、なぜ、わたしたちがまるでなかったかのように忘れて（忘れようとして？）しまうのか、ということだ。その点、日本の格言に「喉元過ぎれば熱さを忘れる」というのがあるが、言い得て妙である。ざっくり解釈すれば、どんなに熱い食べ物でも、口から喉を通り過ぎるまでは煩悶するほど辛いけれども、一度飲み込みさえしてしまえば、何事もなかったかのように忘れてしまう、ということだろう。だが、この格言の含みは、もう少し複雑な気がする。というのも、ひとたび飲み込んでしまい楽になったかに感じられても、実際には口の中に火傷を負っていたり、食道に痛手を負って、その影響がその後じわじわと広がり、やがては大事に至らないとも限らないからだ。つまりこの格言は、「なかったかのような熱さの方を思い出せ」というところまで読み取って意味をなすのではないか。事実、そうでなければ「どんなものでも飲み込みさえできてしまえばこちらのもの」というふうに受け取られてしまいかねない。

今回のコロナ・パンデミックも同様だろう。わたしたちがいま思い起こさなければならないのは、喉元を過ぎたあとの「楽さ」ではなく、むしろその前に実際に感じていた「熱さ」の方なのだ。そんなことをいまさら、と言われるかもしれない。そうでなければ、日々の時の経過のなかで、かつてのスペイン風邪のように、またもわたしたちはあたかもなにもなかったかのようにすべてを飲み下してしまいかねない。そうなれば寺田寅彦がかつて「天災は忘れた頃にやって来る」と唱えて自然災害の到来への備えと戒めを説いたように、グローバル資本主義が大幅に減速しない限り、遠からずまた訪れるであろう次の感染爆発《パンデミック》（感染は忘れた頃にやって来る？）に、わたしたちがうまく対応することもできそうにない。

問題は、いまの生活が取り戻せたのだから、それでいいではないか、ということではない。戦争や災害に比べて、感染症はその元凶がウイルスであったり細菌であったりして目に見えず、前二者のようなわかりやすい破壊や殺戮がないぶん、わたしたちの記憶に残りづらい性質を持っている。さらに言えば、戦争には勝者がおり敗者がいて、加害者があり被害者が生まれることで、その関係を人間が人間のために記述する歴史に乗せやすい。ところが地震や津波といった自然現象にはそれがないし、ウイルスや細菌となるとヒトの営みの展開である歴史とのつながりはさらにわかりにくい。だから、戦災や戦争の比喩を用い、「復興」や「ウイルスとの闘い」などへの置き換えでかろうじて理解しようとするのだけれども、これらには原理的な無理がある。地震や津波、ましてやウイルスや細菌にはもとより「敵意」など皆目なく「単にただ起きているだけ」だからだ。つまりパンデミックは（放射能のように？）わたしたちの記憶に残りづらい。

もっとも、忘れるのも時にはよいことである。過去にあまりに拘泥していては前進することも難しい。健全な忘却力は人間に備わった最適化の能力の一環と言うことができる。しかし、先に触れたように、パンデミックは必ずまたやってくる。それだけではない。今回のコロナ・パンデミックで、一見してはもとに戻ったかに思えても、世界はすでに不可逆的に変容してしまっている可能性が高い。もう少し言えば、不可逆的に変わってしまったからこそ、その変容が取り戻せないくらい決定的だからこそ、おのずとその喪失を補って、「いまの日常」が「かつての日常」と同じであったかのように見做してしまう恐れがあるのだ。

実のところ、細部を見ていけば、「いまの日常」は「かつての日常」とだいぶ違っている。リモート会議の定着や、マスク装着の日常化などは、わかりやすい一端だろう。だが、おそらくはわかりにくい変化の方が長期的には大きな影響として出て来るはずだ。そのひとつが、それこそリモートワークに象徴されるようなインターネットへの依存が劇的に進んだことだろう。ここはそのことについて詳しく論じる場ではないが、インターネットに依存するということは、端的に言えば外部の現実を忘れるということであって、いまここにいるがままにして世界中とつながる自由を得たようでいて、実際にはわたしたちを取り囲む現実の世界は恐ろしく縮減している。さらにわかりやすく言えば、美術評論家のわたしが言うのも変だが、異様なまでに視覚偏重で、映像・画像・動画といった無味乾燥な世界に閉じ込められてしまったような印象だ。言い換えれば、かつて「自閉」に見えたものを現在のわたしたちは「自由」と見做すくらい大きな転倒が起きているかもしれないのだが、そのことに気づかないくらい、ソーシャルメディアの病的なまでの浸透が進み、わたしたちの日常は「オンライン／オフライン」の比率をめぐって大きく変容してしまった。

さらに問題なのは、そのような見えない変容の背後にあるのが、グローバリズムの加速だということだ。グローバリズムはヒト、モノ、コトの流通障壁を可能な限りなくし、その速度をネットの力で最大にまで押し上げた。だが、考えてみてほしい。そのような加速による開発がヒトにとっての「パンドラの箱」を開け、そこから飛び出てきたのが新型コロナというウイルスだったことを。つまり、ヒトとモノを超えて、グローバリズムによるコトの流通が、いま過去にないくらい推し進められているのだ。けれども、わたしたちがヒトやモノとの接触機会が減るのだからよいではないか、と言うかもしれない。ヒトやモノとの接触機会が減るのだからよいではないか、と言うかもしれない。けれども、わたしたちがデジタル世界を頼りにすればするほど、今度はそれを支えるエネルギー消費（電力や物流）も最大化し、そのための必要として、世界の乱開発や地球資源の収奪はさらに進む。つまり、新たなパンデミックとの直面のリスクは減るどころか増している。

もうひとつは、そのような地球資源の枯渇化が、ただちに気候変動や気候危機と呼ばれるやはり人類的な規模での脅威と直《じか》につながっているということだ。そのことは、パンデミックによりわたしたちが部屋に閉じこもることを推奨されていた時期に、その外部で起きていた自然災害の激化と常態化を見れば、もはや明らかだろう。

ここまで書いてきて、ようやく本題に入ることができる。つまり、そんななかでなぜ「パンデミックとアート」なのか。むろんそれは、わたしがそのことを通じてしか世界を捉えることができないという美術批評家としての限界もあるだろう。だが、仮に歴史が「物語」なのであれば、新たな形式の表現《エクスプレッション》／出力を通じてそのことの「忘却」に逆らい「反復」に備えることは不可能ではないはずだ。そしてアートは幸いと言うべきか、ほかの文化の領域と比べて、一定の枠組みのなかで物事を言い表すのではなく、いつでもその殻をみずから壊し、新しい表現の形式を探し求めてきた。もしそうなら、パンデミックの期間にアートにどのような動きがあったか、スペイン風邪の時期くらいまで、言い換えればアートが「前衛《アヴァンギャルド》」と呼ばれるようになるきっかけが生まれた20世紀初頭くらいまで遡りつつ随時考えていくことは、その糸口になるのではないか。いま随時、と強調したとおり、本書が短い文章の積み重ねになっているのは、そのためだ。ここに収められた文章は、コロナ・パンデミックが世界的に認識された頃に始まり、おおよそ二週間を単位に（そのため各文章が媒体に掲載された日付を重視した）そのときに起きている状況と照らし合わせ、アートというレンズを通じて世界の状況について書き継いできたものだ。

差異というものは、とかく違いばかりを重視されがちだけれども、実は同一性を前提とする。コロナ・パンデミックの渦中といまと、いったいなにが違うのかと考えるのではなく、なにが同じなのかに焦点を当てることで、もとに戻ったように見える日常のなかに初めて、コロナ・パンデミックによって変わってしまったものがおぼろげに浮上して来るはずだ。違和の念とは、細部までそっくり同じに見えるのに、実のところどこかが違う、それなのにそれがどこなのかがわからない、と感じるときにもっとも大きくなる。アートという日常のなかで試されてきた非常時の尺度を通じて、その細部について改めて考える機会になにがしかの寄与ができれば、これからやってくる次なる「渦中＝禍中」への備えに、わずかでもなるに違いない。

忘却と反復　2024 002

二〇二〇年初春

世界は一変した 018
衛生観念ほどやっかいなものはない 021
ヒトが雑菌や汚染を運び込む 024
世界中で引きこもりが推奨されている 027
前衛芸術にスペイン風邪の余波はあったか 030

東京五輪は「人類全体の復活五輪」となった 033
『方丈記』とステイホーム 036
メディアアートは「リモートアート」でもある 040
「3密」は創造性のための武器だった 043
欧米も「悪い場所」かもしれない 046
新型ウイルスは戦争すべき「敵」なのか 049
家の外は悪夢となり、家の中が現実となった 052
地球は人間だけのものではなかった 055
高村光太郎の「手」にかってない意味が見出される 058
パルテノン神殿と伊勢神宮 061
その展覧会は「酔いどれパンデミック」だった 064
都市に野蛮な顔が隠されている 067
パンデミック下のリアルを先取りした『漂流教室』 070
動物が人類に復讐する 073
エイズは大きな参照源となるはずだ 076
「沈黙」が「死」を招く 079

放射能もウイルスも「目に見えない」 082
死者たちを身近に感じるようになった 085
誤った隔離政策で名を奪われた人たち 088
『花までの距離』が教えてくれること 091
迷うこと、それを「リングワンデルング」と呼んでみたい 094
芸術祭最大の魅力が最大のリスクになってしまった 097
攘夷思想はコレラへの嫌悪とも連動していた 100
あたりまえのように開かれるオリンピックがファシズムに近づく 103
季節感を感じない一年だった 106

二〇二一年

ウェルズの「火星人」は人類のことだったかもしれない 110
すべてが異例の緊急事態宣言下の展覧会 113
仮想空間は以前にも増して「密」になっている 116
「ぼんやりとした不安」が持続していく 119

10年目の3月11日はふたつの意味を持つ 122
ウイルスは超資本主義的存在だ 125
ウイルスを「株」と呼ぶのは偶然か 128
「距離」をめぐる態度の変更を迫られている 131
「空気」の争奪戦が繰り広げられている 134
シャーレの中の闘技場 137
芸術祭のリモート化は世代を分断してしまいかねない 140
ドメスティックな時代に入り込んでいる 143
ドメスティックであることは超ドメスティックでもある 146
世界の祭典がシュリンクする 149
東京五輪は時空を異とする「並行世界」だ 152
スタジアムというよりは巨大なスタジオに見えた 155
「言語は宇宙からのウイルスだ」とバロウズは言った 158
身体は空気でつながっている 161
世界中で忘却と反復が繰り返されている 164
マスクをつけない素顔は大事な秘匿物となった 167

制作のモチーフが「水」に求められている　170
バウハウスにパンデミックの影を見る　173
新たな祭りが「新しい未来」を切り開く　176

二〇二二年

人と人との関係性そのものが変質しつつある　180
年月の感覚がおかしくなってきている　183
「古臭い生活様式」の回復を　186
パンデミックだからこその美術とは　189
パンデミック下で始まったプーチンの戦争　192
原発があるだけで容易に「核戦争」になりうる　195
菊畑茂久馬との「お別れ」がようやくできた　198
1991年と2022年は多くの点で共通している　201
「顔の見えない時代」が到来しつつある　204
マスクがサングラスのように使われている　207

芸術祭は芸術運動のようなものになりつつある――210
アートは状況に対して必ず遅れてやってくる――213
歓迎されざる同伴者――216
いったい何回接種すれば免疫が定着するのか――219
祭りは感染機会であると承知のうえで行われてきた――222
映画「アートなんかいらない！」の背景に荒川修作がいた――225
福島の帰還困難区域は「接触困難区域」になった――228
「ハレ」が大幅に後退した――231
オンラインに余白はあるか――234
次なるパンデミック、そのあとのパンデミック、さらにそのあとのパンデミック――237
モダニズムの純化がもたらした歴史の「免疫低下」――240
美術館で靴を脱ぐ習慣はない――243

二〇二三年

美術史の「健康」と免疫作用――248

わたしたちの身体はほかの身体との関係性のなかでしか成立しない――251
磯崎新はパンデミックに備えていた――254
コロナ禍で国家間の「誤記」は起こらないか――257
著名人、功績者たちの他界とコロナ禍そのものの「副反応」――260
夢のなかで人はなぜマスクをつけていないのか――263
新型コロナが去ったあとのアートとは――266
「作品のない展示室」がかつてなく新鮮だった――269
今後コロナはどのように忘れられるか――272
あとがき――275

二〇二〇年初春

世界は一変した

2020年3月26日

米国トランプ大統領が、移民の流入による国家的な損失を非難し、メキシコ国境の壁を強化すると発言し、世界のリベラル層の不興を買ったのは記憶に新しい。ところが、新型コロナウイルスの蔓延がみるみるうちにパンデミックにまで達すると、今度はヨーロッパの先進諸国が、競って国境の封鎖や入国の制限を断行している。世界は瞬く間に一変した。いまや至るところ障壁だらけだ。

ヨーロッパといえば、「鉄のカーテン」の異名で呼ばれた米ソによる冷戦構造を象徴したベルリンの壁が解体して以降、およそ「壁」とはもっとも縁遠い所作をとり続けてきた。国境を緩め、通貨を統合し、関税を低くしてヒト・モノの流動性を極限まで高めてきた。そしてそのことで、19世紀以来の近代国民国家とはまったく異なる共同体（EU）の未来を模索する壮大な実験へと足を踏み入れたのだった。

ところが現状はどうだろう。新型コロナウイルスの爆発的な感染拡大をせき止めるため、EUはふたたび国家の壁によって分断された。むろん、これはトランプ大統領のような差別的な言動によるものではない。またEUが根本から原理原則を変更したわけでもない。感染拡大を一刻も早く抑えることが肝心なのは当然だからだ。けれども、冷戦解体以後の脱国家的な世界秩序を率先して目指したEUのような共同体の奥底に、このような国家主義的な分断の余地がしっかりと残されていたことが、今後に及ぼす影響は決して小さくない。

美術やアートも例外ではない。冷戦構造の解体以降、世界を覆い尽くしたグローバリズムの波に乗って、美術やアートもその可能性を飛躍的に拡大してきた。グローバリズムとは、とりもなおさず経済的な流動性を高めるものだ。ゆえに、それを遅延させてきたイデオロギー闘争の余波としてのアートをめぐる主義《イズム》や主張、批評や歴史観はすっかり影を潜め、これに代わり自由で透明な市場がもっとも大きな力を持つことになったのだ。

その結果、従来はビジネスの一環として軽視されていたアートフェアが至るところで台頭し、美術作品は株式市場での債券のように扱われるようになった。同時に、トリエンナーレやビエンナーレと呼ばれる、国家への帰属を超えた短期的な移動・制作を前提とする大規模な国際現代美術展が、美術館に代わってアーティストたちの主要な発表の舞台となった。さらにはネットの浸透やＬＣＣ（格安航空会社）の普及がこれを力強く後押しした。ところが、いまやそのすべてにストップがかかっている。

これは一時的なものだろうか。そうとは思えない。近年、世界で深刻な問題を引き起こしている気候変動と並び、今回のような瞬時と言ってよいパンデミックは、人類の地球規模での経済的な活動拡大と過熱がもたらした側面が大きい。つまり、グローバリズムがわたしたちにもたらした恩恵とまったくの表裏なのだ。それどころか、目に見えないウイルスはヒトやモノの移動を遥かに超えた透明性・越境性を持ち、人類が地球規模で活躍するための条件を先回りして一変させてしまう。分断というなら、アートの世界もまた、新型コロナウイルスによるパンデミック以前と以後とで、後戻りすることのできないほどの変質を余儀なくされるはずだ。

衛生観念ほどやっかいなものはない

2020年3月27日

新型コロナウイルス対策として安倍首相による不要不急の催しへの自粛要請が発せられると、翌日以降、国立の博物館からポツリポツリと閉まり始め、次第にそれが国立の美術館に及ぶと、そこからは五月雨式に公立、私立を問わず展覧会が期間限定で閉まり始めた。最初は期間限定であったものが再度延期され、なかには途中で復活することなく会期を終えてしまった展覧会も少なくない。そのなかにはわたし自身、再開した際には必ず見に行こうと算段を立てていた貴重な展示も複数、混じっていた。

これほどの規模で美術館が一斉に閉まったことが、いったい過去にあっただろうか。東日本大震災の直後、首都圏を中心に前代未聞の計画停電が実施されてなお、美術館は開館時間の短縮こそあれども、どこに行っても開いていない、ということはなかった。それに、西日本では日頃と同じように運営されていた。わたしは新聞や雑誌で複数の展評の連載を持っているが、候補となる展覧会が次々に一覧から外れ、いまではほんの数えるほどになってしまった。首都圏では見ようにも見切れない数の展覧会があたりまえだったから、こんなことはまったくの初めてだ。

そもそも、美術展を一律に大規模な催しと考えるかどうかは、意見の分かれるところだろう。会期中、ひっきりなしに人が出入りして行列を作るような人気の展覧会であれば、十分に理解できる。ところが、わたしがふだんから見て回るような現代美術の展覧会は、よほどのことがない限り、会場はすっきりと空いている。主催者としては頭が痛いところだろうが、皮肉にも新型コロナウイルス対策は最初からできているようなものだ。

演者が声を振るわせて熱演し、観衆もそれに生々しく反応する芝居やエンターテインメント系のコンサートとは根本的に違っている。美術展では最初から静粛が求められている。過度のおしゃべりは厳禁だし、作品には対面しても人同士が対面することはない。すれ違うにも十分な距離を取りやすく、基本的には立っての鑑賞だから、モノに触れる機会もほとんどない。

それでも、こぞって中止となり、さしたる異議も聞こえてこないのはなぜなのだろう。背景こそまったく違うとはいえ、昨年、あいちトリエンナーレで「表現の不自由展・その後」が安全を理由に主催者判断で中止になったとき、たちまちにして巻き起こった中止反対と再開への働きかけを思うと、遠い世界での出来事のようだ。感染防止のうえでは仕方ないのかもしれない。だが、「安全」を理由とする一方的な閉鎖であることに違いはあるまい。それに、美術館内とはいえ、驚くほど狭い会場であった「表現の不自由展・その後」と比べたとき、いま閉まっている美術館の規模や数とでは、社会的な波及力や知的営為・経済的な損失として、比べ物にならないほど落差が大きい。

やはり、特別に混雑するほどの集客が見込めない現代美術の展覧会では、対策さえ入念に講じれば、継続は可能だったのではないだろうか。見えてくるのは、ウイルスという透明で有毒な存在を口実とすることの有無を言わせぬ圧力だ。あいちトリエンナーレでは、それは意見の異なる人だった。意見とは相対的なものだ。言い換えれば、どんなに反対の立場でも同じヒトだったのだ。他方、今回の一斉休館は絶対的な衛生観念にもとづく。そしてこの衛生観念というものほどやっかいなものはない。

ヒトが雑菌や汚染を運び込む

2020年4月1日

美術館でひときわ衛生観念が重視されるのは、美術館が保管するのが文化財という「モノ」であることが大きい。いまでは美術館もずいぶんと娯楽施設化しているが、この点でも美術館は、劇場で開かれる演劇や、コンサート・ホールで催される音楽のライヴとは、根本的に異なっている。限られた時間のなかで演じられ、それを終えると記録や記憶しか残らない演劇やライヴと違って、展覧会は、会期を終了しても厳然としてモノが残る。というよりも、文化財という観点に立つなら、この残されたモノの方が美術館の本来の主役なのであって、展覧会というのはそれを期間限定で公開する「余業」でしかない。

文化財とは、読んで字のごとく「財産」であるから、限られた期間で消費することよりも、当然、末永く未来を生きる世代へと残すことが優先される。しかし文化財はモノなので、そうした長い時間のなかでは当然、着実に劣化していく。この劣化を最小限に食い止め、できうる限り遠い未来へと託するには、究極的には湿度や温度の管理を徹底した収蔵庫から外へ一歩も出さないのが一番いい。いわばタイムカプセルである。けれども、それでは同時代を生きる市民にはなんの恩恵もない。だから、期間限定で虫干し的に公開し、教育や教養に与《くみ》するかたちで開かれるのが、実は展覧会の元ある姿なのだ。

いまでこそ、美術館といえばレストランやショップがことのほか充実しているけれども、それは、自前で運営費を稼がなければならないご時世になったからだ。ひと昔前の美術館では、そうした「水物」はほんの申し訳程度で、できれば早く立ち去ってほしいと言わんばかりの雰囲気が漂っていた。衛生上、よろしくないからである。飲食や物販は文化財の大敵、ムシやカビをもたらす危険をはらんでいる。

こうした衛生観念の普及は、国家の近代化とほぼ歩みを同じくしている。そもそも近代化とは、欧米列強と並びうる衛生観念の獲得と同じ意味を持っていた。なぜ衛生観念だったのか。帝国主義の肝要は植民地政策だが、それは未知の疫病やその発生源となる不潔を排除し、自国からの植民という政策を円滑に進めるために絶対に欠かせないものだったからだ。

日本における展覧会の原型は内国勧業博覧会にあるが、それは事実上、植民地から得た物産を列強が品評する場であった万国博覧会を国内で模倣したものだ。そこに起源を持つ美術館とは、植民地の不衛生を人工的に管理することができる「無菌の空間」を、自国で模範的、かつ継続的に実現し続けることを意味する。

けれども、展示された会場に自由に入り込み、方々を歩き回るという点では、ヒトこそが施設の外部から素性の怪しい雑菌や汚染をどんどん運び込んでくる、もっとも厄介な存在なのだ。現在、新型コロナウイルス騒動で次々と美術館が閉まっていくことの正当性は、来場者を感染から守るという道義性の尊重が第一にある。としても、より深層的には衛生的に保ちたい、もっと言えば文化財を未知の汚染から守らねば、という近代そのものが持つ植民地政策的な固定観念の名残が、まったくないと言えるだろうか。

世界中で引きこもりが推奨されている

2020年4月2日

新型コロナウイルスは人と人とを隔て、あらゆるところに壁を立て、人類の活動をグローバリズム以前の世界へと引き戻そうとしている。職場ではリモートワークが推奨され、百貨店や飲食業がかつてない苦境に立たされる一方で、通販やデリバリーにいっそうの拍車がかかる。欧米ではあたりまえの習慣であった握手やハグが敬遠され、日本人がマスクをする習慣を奇異の目で見ていた者たちも、競ってマスクを着用している。つばが飛ぶような激しい議論はもちろん厳禁だ。人と人との間隔は十分に空け、禅の修行のように押し黙っているのがいい。そもそも、外出そのものが感染の拡大をもたらす元凶とされている。家に引きこもるしかない。

日本でも、引きこもりは社会への適応がうまくいかない典型と非難されていた。ところが、いまや世界中がこぞって推奨している。美術家のオノ・ヨーコは、日本での引きこもり習慣には、欧米にはない正当な態度表明があると語っていた。確かに、ここまで列挙してきたことからもわかるように、新型コロナウイルスがもたらす生活習慣の劇的な変容は、ことごとく欧米型の理想的な人間像（よく語り、抱擁し、行動する）を否定するものなのだ。古来の演劇にせよ、造形芸術が模倣してきた人間像にせよ、規範となるのはそのような「よりよく生きる」人間《ヒューマン》である。ところが新型コロナウイルスの爆発的な感染力は、そうした人間像そのものを機能不全にしてしまう。はたしてこれは一時的なものだろうか。そうとは言えまい。グローバリズム下の世界では、地球上のすべてのヒトやモノが、かつてない自由さで交錯し合う。そのような状況でひとたびパンデミックが起これればどのようなことになるか。いまほどの自由などおよそ持たなかったかつての世界でさえ、ペストはあれほどの猛威を振るったのだ。警鐘はずっと鳴らされてきた。SARS（重症急性呼吸器症候群）やMERS（中東呼吸器症候群）はその一端を具体的に示していたし、鳥インフルエンザウイルスの変異は、かねてなにより恐れられていた。

　仮に今回のパンデミックが早期の終息を見たとしても、世界は、社会がいつ崩壊してもおかしくないほどのリスクが厳然として存在することを知ってしまった。喉元を過ぎたからといって、すっきり元のとおりに戻れるというのは、考えが甘すぎるだろう。今回のようなパンデミックは、人類がその生き方を根本から変えない限り、今後も十分に発生しうる。今後、四年ごとに前もって開催地を決定し、五大陸から人が入り混じって熱狂する五輪を引き受けるとしたら、主催国は相当の覚悟をするしかない。他方で今回、致し方なく採用されている無観客試合や無観客中継が、意外にも魅力的に映るのはわたしだけだろうか。視聴するだけならこれ以上のものはない。かつて建築家の磯崎新は幻の福岡五輪案で、実況を中心に据えた斬新な主会場を構想していた。そう思うと、チケットの争奪戦やごった返す人混みに過度のストレスを抱えて、会場に行く必要がどれくらいあるだろう。

美術の展覧会に至っては、モノとしての保護を第一とする文化財なら、そもそもがヒトを敬遠するはずのものだった。他方、ヒトの介在を必要としない情報の通信速度はますます飛躍的に進んでいく。遠からずそれは、同時性や固有の場所という概念そのものを刷新してしまうだろう。

ポストパンデミック時代の新しい体験性とはなにか。わたしたちは、かつてない性質の時の猶予を得たいま、「ポスパン」の世界像とその可能性について、新たな思索と模索を始めなければならない。

前衛芸術にスペイン風邪の余波はあったか

2020年4月8日

英国の詩人、T・S・エリオットの代表作『荒地』の書き出しは、「四月はもっとも残酷な月だ」と始まる。春の訪れを告げる4月が「もっとも残酷（the cruellest）」とは、どういうことなのか。一般にこれは、第一次世界大戦（1914～18年）の荒廃を背景に書かれたとされる。だが、詩集が発表されたのは22年の冬なので、ややあいだが空く。そこに第一次世界大戦だけでなく、同時期に人類が初めて直面したインフルエンザウイルスによるパンデミック、いわゆるスペイン風邪（1918～20年）が影を落としていないか。著名な画家では、世紀末ウィーンを代表するグスタフ・クリムトやエゴン・シーレが犠牲となった。エリオットと同じ詩人で美術評論も手掛けたギヨーム・アポリネールも命を落としている。

エリオットの『荒地』は第1章が「死者の埋葬 1」と題されているが、新型コロナウイルスによる欧州を中心とした現在の悲惨な状況を見ていると、戦争だけでなくパンデミックを詠った詩ではなかったかと思えてくる。新型コロナウイルスが高齢者で重篤化する傾向があるのとは違って、スペイン風邪は、戦場へと勇猛に向かった比較的若い年齢層の命を中心に多く奪った。国同士を単位に血を流して争っているうちに、人類はウイルスという遥かに大きな敵を見逃していた。戦争を終えて生命の息吹に満ちたはずの春になっても、大地は依然として「荒地」のままで、「死者の埋葬」は各地でひきもきらない。4月が一年のうちで「もっとも残酷な月」になっても、なんの不思議もない。

そう考えたとき、20世紀の初頭に起こり、その後の現代美術に決定的な影響を与え、現在のアートにとっても依然、極めて大きな源流となっている前衛美術の動向、具体的にはダダイズムやシュルレアリスム、アブストラクト・アートといった動きにも、スペイン風邪の余波が感じ取れはしないか。

マルセル・デュシャンやフランシス・ピカビアの名で知られるダダイズムは、近代国家が陥った世界大戦という破壊の極みを目の当たりにし、従来の美的な価値観を根底から破壊する行動に出た。だが、やがてスペイン風邪のパンデミックが迫ると、かれらの内面に、戦場とはまったく異なる「荒地」が急激に広がった可能性がないとは言えない。

2020.4.8

少し遅れて登場した具象芸術のシュルレアリスムと、具象を排して抽象的な造形へと特化したアブストラクト・アートとのあいだには、一見して大きな隔たりがあるかもしれない。けれども、シュルレアリスムが精神分析の父、フロイトにならって夢や無意識といった未知の世界に活路を見出したのは、理性では直視することができないパンデミックという現実（悪夢）からの逃避であったかもしれない。現実の世界には存在しない抽象的な造形を扱うアブストラクト・アートにしても、その点では同様ではないか。

第一次世界大戦とスペイン風邪によるパンデミックのあとで、先進的な美術家たちが一斉に生み出した新しいアートの動きは、このように、一種の集団的な「引きこもり」芸術であったことがわかってくる。いま新型コロナウイルスの蔓延を避け、家に引きこもる生活を余儀なくされるなか、そこから新しい内面と、それにもとづく芸術が生まれてこないとは誰にも言えない。

東京五輪は「人類全体の復活五輪」となった

2020年4月9日

現在のアートの基盤を作ったのは、20世紀初頭の社会へ背を向けた前衛美術であり、第一次世界大戦やスペイン風邪のパンデミックといった国家を超えた「国際性／越境性」への反動としての「引きこもり芸術」であった。しかし、世界はそうした内向する芸術をよそ目に「狂乱の20年代」へと突入する。凄惨な悲劇のあとで、歴史にも稀に見る大好況が訪れたのだ。だが、それも長くは続かない。1929年の世界恐慌がその狂騒に突然の幕を下ろすと、個人の自由よりも国体の維持を優先するファシズムの嵐が世界中で吹き始める。

ファシズムが理想としたのは、西欧近代ではなくギリシャ・ローマの世界だった。隣人を遠ざけ深く内省する精神よりも、他者を圧倒する身体の屈強を誇る「オリンピア」の世界観である。実際、ナチス・ドイツはオリンピックを政策的に極めて重視した。1936年のベルリン五輪で聖火リレーを考案したのもナチスだった。かれらは、すべてを燃やし尽くす火の潔癖さが人類の劣等的な性質を浄化し、より高い次元へもたらすと本気で信じた。だから、ナチスは思想的な偏向を理由に公然と本を焼き、民族的に劣るとしてユダヤ人たちを絶滅収容所という「釜」へと送った。

アートも例外ではない。ナチスから「退廃芸術」と名指しで押収され、各地で焼かれもした絵画の多くは、キュビスムやシュルレアリスムのような前衛美術の産物ばかりだ。無事に残っていればどれも人類が誇る名作となっていただろう。いったいなにが退廃的だったのか。造形的にわかりにくいというのもあった。しかしより根本的には、国家という全体性に寄与しない「引きこもり芸術」であったからに違いない。

ナチスは、自分たちの優等性が、第一次世界大戦やスペイン風邪のパンデミック、世界恐慌といった近代社会が持つ劣等性を乗り越えた先にあると考えていた。芸術においても、私的で脆弱な表現の自由などではなく、古代ローマの詩句にあるとおり、健全な精神は健全な身体に宿るのだ、と言わんばかりに、白亜の新古典主義を模範視した。

それで言うと、日本政府は、来年の夏へと延期になった東京五輪を「人類が新型コロナウイルス感染症に打ち勝った証」として新たに位置づけし直した。いわば、「震災からの復興五輪」から「人類全体の復活五輪」へと格上げされたことになる。聖火リレーのための火種は、その時を待つために国土に潜んで待機している。コロナ禍が去ったあと、スペイン風邪後の狂乱の20年代にも似て、経済の「V字回復」に乗り、退廃（ウイルス）を寄せ付けない強靭（別の意味での国家強靭化計画？）な身体への信奉と過度の健全主義が、一気に流布しないとも限らない。そのためには、人権や行動の制限が恒常化しても仕方がない——事実、パンデミックをもたらしたのは、ほかでもない個人の自由とその原理となる民主主義ではないか、と。

だが、わたしたちが生きるグローバリズムの世界は、20世紀初頭とは根本的に違っている。ヒトやモノ、カネが動く原理はもう、かつての国際性《インター・ネーション》ではない。単位は地球《グローブ》なのだ。パンデミックは大小の差こそあれ、今後も繰り返されざるをえない。ポスパン（ポストパンデミック）とは、パンデミック以後の世界というより、パンデミックが何度でも繰り返される世界でどう生きるかなのだ。引きこもりの芸術は、積極的な籠城のための新しい価値観の萌芽かもしれない。

『方丈記』とステイホーム

2020年4月16日

日本の歴史に目を移せば、権力の中枢が公家から武士へと大きく転じた平安から鎌倉への移行期には、京の都でも大きな天変地異が相次いだ。随筆の三大古典に数えられ、誰の耳にもなじみ深い鴨長明『方丈記』の書き出し――ゆく河のながれは絶えずして、しかも、もとの水にあらず――は、権力の栄枯盛衰に由来する無常観のあらわれと、わたしなども高校生の時分に教えられた。

だが、全編を読んでみると、大竜巻や大飢饉、大地震といった人知を超えた自然の猛威で、都の様相がなすすべもなく一変してしまうことへの強い諦念の表明であったことがわかってくる。『方丈記』が日本で初めての災害文学と呼ばれるゆえんである。

このことから、『方丈記』の再読は東日本大震災のあと、ちょっとしたブームとなった。しかし、いまわたしたちが置かれた新型コロナウイルスという疫病の世界的蔓延のなかで読むと、少し異なる観点から興味をそそる。なによりもまず、『方丈記』

とは建築をめぐる話である。

いや、建築というのは大仰すぎる。鴨長明は、なにより京の都に立ち並ぶ贅を尽くした仏教寺院や大邸宅があっという間に失われ、人気《ひとけ》のない廃墟のようになってしまうのを目の当たりにしてきた。だから、そのような建築に対して、いわば反建築としての方丈を対置し、そのなかに引きこもった。

方丈とは一丈四方、つまり縦横3メートル強ほどの小さな建屋を意味する。西欧に由来する建築の規範をギリシャのパルテノン神殿と考えれば、これを建築と呼ぶのは大変な無理がある。むしろ真逆でさえある。現在の家に譬えれば、おおよそ四畳半から五畳半のあいだくらいだろうか。都会のワンルームマンションより狭いかもしれない。

それだけではない。方丈はいまの言葉で言えば「モバイルハウス」であった。立派な建築は、だからこそ自由に動くことができない。動くことができないから、大きな災害に見舞われたらそこで終わってしまう。小さいだけではなく、可動式だからよいのだ。

実際、方丈は組み立てが簡易で、もしも不具合が生じれば、もっと都合のよい場所に移るのも容易だった。現代ならホームレスの段ボールハウスを連想させる。

2020.4.16

この可動式の引きこもり家屋を通じて、鴨長明は人里から距離を置き、権力闘争や俗世の欲望を冷静に俯瞰し、猶予された時をもっぱら自然の観察や詩歌の詠唱に費やした。

その意味で『方丈記』は、日本初の災害文学であるだけでなく、日本初の引きこもり文学であるかもしれない。人里を遠く離れて書かれた文学はあまたあるだろう。しかし、可動式の「お宅《たく》」に好きなものだけ残し、一人引きこもって綴られた文学は、そうあるものではない。かれの時代には望むべくもないが、もしもネットがあれば、それだけで十分よかったかもしれない。

世界を股にかける大冒険もない。生き馬の目を抜くような駆け引きもない。だが、それでもなお数百年の時を超えて読み継がれるイマジネーション豊かな一大古典を書くことができたのだ。秘訣は「ステイホーム」だけでよい。驚くべきことではないだろうか。

グローバリズムの時代、アーティストたちは外へと出て人とつながり、さまざまな社会的体験から着想を得ることが奨励されてきた。だが、歴史を振り返れば、少なからずの古典的名作は夢や内的なヴィジョンに多くを負ってきた。

新型コロナウイルスから距離をとり、家に引きこもることで生まれる新しいアートに可能性を探ることは、孤立をバネとする芸術の原点に立ち返ることでもあるのだ。

メディアアートは「リモートアート」でもある

2020年4月23日

1990年代以降、アートはグローバルな世界環境をバネに飛躍的に発展してきた。これにしたがい、国際現代美術展などの先端的な発表の場で見られるアートの主流も、かつてないほど社交的でヒトやモノが入り乱れる不定形の表現へと姿を変えていった。「ソーシャリー・エンゲージド・アート」（社会へと参与する芸術。以下、SEA）と称されることが多いこれらの動向は、批評家／キュレーターのニコラ・ブリオーが98年に発表した著書『関係性の美学』をきっかけに「リレーショナル・アート」と呼ばれるようになったアートの動向に端を発している。これらをめぐる複雑な議論にはここでは触れないが、簡単に言えば、絵画や彫刻のように、アートを展示することが容易な実体的なものとして考えず、社会のなかで流動的に形成されるヒトとモノとのコミュニケーションの発露として捉える傾向を指す。いきおい、映像や記録、ワークショップなどの実践に重きが置かれることになり、従来の「作品」という概念は大幅な変更を迫られることになった。

アートが長く絵画や彫刻のような物質的な実体に限定されてきたのは、商品として扱いやすいことも大きかった。したがってSEAは、アートを投機対象として捉えるようなグローバリズム下の資本主義への批判として機能する部分も少なからずあった。けれども、仮にSEAによる資本主義下でのアートの投機商品化への抵抗が一定の意味を持っていたとしても、もう少し大きな視野で見れば、ヒトとモノを地球規模で社会的に結びつけるSEAの活動そのものが、LCCの爆発的な普及と典型的なグローバル資本主義なくしてはありえないものだった。

いま、新型コロナウイルスの世界的な蔓延で、グローバル資本主義は冷戦構造の解体以降、最大の試練を迎えている。2008年のリーマン・ショックを超え、1929年の世界恐慌以降、最大規模の危機とする意見も少なくない。実際、企業の生産活動や市民による消費行動は各国で、生命を維持できる最小限まで抑えられている。本来であればこういう状況でこそ、SEAはその名のとおり、感染を媒介するヒトやモノといった物質的な実体に縛られず、関係性だけを武器にヒトとヒトを結びつける活動ができてよいはずだ。だが、実際には資本主義経済が萎縮すれば、SEAも歩を合わせて停滞せざるをえない。結局、グローバリズムという同じ基盤に下支えされていた

2020.4.23

からだ。

その意味では、これまでのアート界ではどこか傍流として扱われてきた、いわゆるメディアアートの反応が気になるところだ。これもまた定義の不明瞭な概念だが、端的に言えば新技術を積極的に導入した情報芸術と考えられる。いまどきの言葉を使って、「リモートアート」と呼び直してもいい。リモートアートは、手元に情報端末さえあれば、ウイルスの感染源となりかねない美術館のような大規模施設を必要としない。その意味では、「在宅芸術《ステイホームアート》」の典型と考えられる。

日本におけるリモートアートの大規模な試みは、冷戦構造が解体した直後の91年に、当時のNTTが首都圏の1都7県に広がる電話網を使って組織した「電話網の中の見えないミュージアム」に始まる。スマホはおろかインターネットさえ普及していないなか、電話機とファクシミリを使い、100人に及ぶアーティストや作家が参加したこの仮想のミュージアムを、かつてのような時代を先駆ける先端的な表現としてではなく、家に引きこもる在宅芸術の原点と考えるなら、いまあえて興味深い。

「3密」は創造性のための武器だった

2020年4月30日

前回触れたSEAのほかにも、ヒトとモノがかつてなかった規模で短期間、世界のどこでも自由に離合集散できるグローバリズム体制下のアートでは、新型コロナウイルス対策で大きな鍵となる「3密（密閉、密集、密接）」は、むしろ創造性を切り開く武器として積極的に活用されてきた。

限られた「才能」を持つアーティストが、余人には真似できない作品を作り上げ、そのありがたみを礼拝的にひとりで鑑賞するというのは、「誰もがアーティストである」「誰もがアートの現場に参加できる」グローバリズム下のアートにはそぐわない。だからこそ、このところのアートは、トリエンナーレやビエンナーレと呼ばれる大規模国際現代美術展や、日本国内で雨後の筍のように顔を出した「芸術祭」（国際現代芸術祭）、そしてアートフェアと呼ばれる商業見本市によって加速されてきた。そこでは、アーティストが作る作品はもはや主役ではない。主役はあくまで現場に集合するヒトであって、作品を媒介に推し進められる食の体験を含むツーリズムや、投資を睨んだ売り買いの折衝を楽しむビジネスこそがアートの実体へと変化していった。

こうしたアート業界全体の活性化と相性がよかったのが、グローバル体制下でのアートを語るうえでSEAと並んで人口に膾炙した「アーティスト・コレクティヴ」（以下、AC）という動向である。コレクティヴとは、19世紀以来のアートが才能ある個人（その象徴が孤高の「天才」である）をモデルに組み立てられてきたことに対し、任意の人数のアーティストが集合的に活動することを前提とする。おのずと、不特定の参加者によるワークショップや随意に開かれる集団行動が多用されるようになり、旧来の作品制作モデルは解体され、プロジェクト・ベースの活動が主たるものとなる。

こうした変化を象徴する出来事がある。世界のアートでもっとも注目を集める国際現代美術展、ドイツの地方都市カッセルで5年に一度開催されてきた「ドクメンタ」展の次期（2022年）芸術監督に、インドネシアのAC「ルアンルパ」が選出されたのだ。また国内での国際現代美術展に先鞭をつけた横浜トリエンナーレでも、次回（2020年）の芸術監督を務めるのはインドのAC「ラクス・メディア・コレクティヴ」だ。とりわけ今年7月に開催が迫る後者では、爆発的な感染力を持つ新型コロナウイルスへの対策をどうするのかが注目される。

このように、問題はプロジェクト・ベースの活動を進めるうえで、どうしても3密、もしくはそれに準じた状況が生じてしまう、ということだ。SNSなどを活用すればリモート化もできなくはないが、孤独なアトリエの中で内省のもとで進めるかつての方法に対し、関わる人の数は比べものにならないため、すべてを遠隔的に行うのでは国際現代美術展や芸術祭、アートフェアとのダイナミックな連携は期待できない。

ちまたでは演劇、音楽コンサートやライヴ、撮影も含めた映画などが運営のうえで大変な支障をきたしている。その点、制作のうえでも鑑賞のうえでも個人を単位としてきた美術やアートはやや事情が異なると考える人がいるかもしれない。だが、SEAやACへと可能性の重心を移してきた最新のアートにとって、3密の回避や「外出の自粛」、「他人との接触8割削減」は、存続のうえで死活問題となるほど負荷が大きい。

欧米も「悪い場所」かもしれない

2020年5月8日

20世紀初頭に、第一次世界大戦を遥かに上回る犠牲者（一説には全世界で1億人）を出す歴史的な大惨禍へと発展したにもかかわらず、「スペイン風邪」のパンデミックはなぜ、これまでかくも論じられてこなかったのか。第一次世界大戦をめぐる広範な研究や議論と比較したとき、差は歴然としている。いわんや美術史においてをやだ。

このことは、西欧の文明がとりわけ近代以降、過去を踏まえた礎のうえに築かれ今日に至るという通念に、なにがしかの疑念をもたらす。わずか100年たらずの過去に起きたこれほどの出来事の記憶が、人類的な規模で集合的に失われていたのだとしたら、わたしたちはいったいなにを手掛かりに未来を切り開いていけばよいのだろう。新型コロナウイルスによる瞬く間のパンデミックは、途切れていたその記憶をふいに揺り戻した。もしかしたらわたしたちは、文明の進歩そのものを根幹から見直す必要があるのかもしれない。

1995年に突如として起きた阪神・淡路大震災は、美術批評家としてのわたしに、戦後美術の全面的な見直しを迫った。それまで関西に大きな地震はないと言われてきた。しかしそれはまったくの思い込みだった。近代の美術やアートを生み出した西欧では、震災と言えるような地震はほぼ皆無だ。地盤が安定しているから、歴史は石積みの神殿のように過去の上に築かれる。美術史も同様だ。だが、その地盤そのものが不定期に大きく揺さぶられ、その上にあるものを広範囲にわたって破壊してしまうのだとしたら、そんな場所で歴史が、美術が成り立つのか。それが最大の問題だった。

ゆえにわたしは、日本は「悪い場所」であると唱え、蓄積と発展によって文明が駆動される西欧と、いたずらに忘却と反復を繰り返すばかりの日本とでは、一見しては同じに思えても、美術やアートも根本では原理が異なっていると考えるようになった。裏返せば、おのずと西欧は「よい場所」ということになる。だが今回、新型コロナウイルスが呼び覚ましたスペイン風邪の記憶は、西欧やアメリカでも同様に、文明の随所で集合的、かつ大規模な記憶喪失が起きているかもしれないという予感をもたらした。西欧もまた、程度の差こそあれ日本と同様に悪い場所かもしれないのだ。揺れるはずのない神の創造物、大地が不安定なのは、キリスト教文明圏にとってあってはならぬことだ。ゆえに18世紀に起きた東日本大震災級のリスボン地震は忘れら

2020.5.8

れた。スペイン風邪は感染症だが、共通するのは人の手が及ばぬ次元にあることだ。戦争は、どれほどひどい過ちでも人が起こす。加害者も被害者も存在する。それなら正義の名のもとに裁くことも、罰を加えることもできる。だが、ウイルスを加害者と呼ぶことは少なくとも法的には意味がない。地震も同様だ。そこには主体がない。キリスト教的に読みかえれば、主《あるじ》としてのキリスト（救い主）がいない。

東京電力福島第一原子力発電所のメルトダウン事故では、放出された放射性物質は所有者のいない「無主物」と見做された。その点で言えば、ウイルスとはまさしく無主物にほかならない。パンデミック下では「主体」の意味も変貌していく。アートもまた、今後は無主物の世界観が求められているはずだ。

新型ウイルスは戦争すべき「敵」なのか

2020年5月14日

新型コロナウイルス感染症に対しては、「ウイルスとの戦い」という言い方を頻繁に耳にする。「克服する」、「打ち負かす」も同様だ。ようするに戦争だというのだ。だが、人間や主権国家のような主体性を持たない「無主物」のウイルスは、はたして戦争すべき「敵」なのか。定義から言えば、そうではない。だからこれは比喩なのだが、百害あって一利もない言い方だと思う。

確かに、世界では何十万人もの人がこの新型ウイルスゆえに命を落としている。だが、それは戦争の結果、亡くなったわけではない。どんなに未解明でも、だからこそウイルスの所作は人為を離れた自然現象の一種なのだ。そこに加害「者」はいない。しかしそれでは理不尽な感情を向ける矛先がない。だからウイルスを侵略者に見立て、戦争の相手として敵対視するしかない。その気持ちもわからないではない。けれども、少し引いて考えれば、ウイルスの蔓延はむしろ戦争の継続を難しくする。

2020.5.14

生身の戦場は言うまでもなく3密の現場そのものだ。それだけではない。厳しい軍事教練にせよ、雄々しい大行進にせよ、それを支える軍楽隊にせよ、近代の戦争を支える組織の論理は一様に3密を前提としている。そのような場にひとたび爆発的な感染力を備えたウイルスが忍び込めば、どうなるか。兵士の多くは戦わずして病院送りとなり、戦争どころではなくなる。敵も味方も同じだ。つまり結果的にパンデミックは戦争を機能不全にする。

わたしがここで思い出すのは、やはり現代美術家のオノ・ヨーコだ。まだビートルズ時代にジョン・レノンがヨーコの多大な影響下に共作し、通称『ホワイトアルバム』に収めた実験的な曲に「レヴォリューション9」がある。わたしはかねてからこの「9」が、戦争の永久放棄を謳った——その意味ではまさしく革命的な——日本国憲法(平和憲法)の第9条のことではないかと考えてきた。

この流れは、のちにレノン稀代の反戦歌として名高い「イマジン」の歌詞へとつながっていく。この曲が、ヨーコとの事実上の共作であったことをレノンは生前に認めている。その背景にも、やはり憲法第9条があったのではないか。

なにが言いたいのかというと、戦争が困難なパンデミック下の状況は、人類にとって大変な危機であると同時に、そのようなパンデミックと共存していかざるをえない来るべき世界では、戦争の意味は著しく下落する、ということだ。そのような事態が、左翼の理想にすぎないと長く揶揄されてきた憲法第9条と、実は相性がよいのではないか。言い換えれば、憲法第9条に記された主権国家としては荒唐無稽としか言いようのない世界観が、コロナ危機によって、実はにわかに現実味を帯びている、とも解釈できる。

としたら、ウイルスとの戦いを戦争に譬える比喩は、コロナ以後ではなく、コロナ以前の世界観へと人類の態度を退行させるだけだ。緊急事態宣言の強化のために改憲が必要という声も高まるだろう。最悪なのは、近代的な組織論にもとづく戦争が不可能でも、非接触型のロボット工学や遠隔爆撃を使えば、パンデミック下でも戦争は可能だと、戦争の概念を「進化」させてしまうことだ。

新型コロナウイルスという人類にとって初対面の存在を、戦争によって打ち勝つべき敵と考えるか、それとも、そのような環境を前提に共存し、人類の旧来の価値観そのものを抜本的に変化させる「革命」のきっかけと受け取るか。アートの想像力は大きな鍵を握っている。

家の外は悪夢となり、家の中が現実となった

2020年5月21日

新型コロナウイルス対策で家にとどまるのが日常になってから、夜寝ると夢を見がちになった、夢の質が変わったという話を聞くようになった。都市伝説めいた眉唾に思えないでもないが、知人友人から似た声が届くと、むやみに軽視できない気がしてくる。

こんなことになる前は、わたしたちの家の「外」が現実の社会だった。これに対して家の「内」は、慣れ親しんだ家族と団欒し、娯楽や就寝をはじめとする休息をとる場所だった。しかしパンデミックでこの対比は大きく変わった。

まず、家の外が社会活動の立ち行かない悪夢の世界となった。これに対し、家の中が社会とつながる仕事という現実の場となった。つまり、家の外と家の中との関係が逆転したことになる。

家の中がすでに社会なのだから、わたしたちが娯楽や休息をとる機会は就寝後の世

界しかない。つまり、外から順番に押し込まれ、結果的に夢の世界が「娯楽や休息」のための最後の貴重な領野となったのだ。いきおい夢には、娯楽や休息のあとに見る単なる余剰以上の意味が担わされることになる。そのことが、先に触れた夢の質の変化と関係してはいないか。

前にこの週報で、20世紀初頭のスペイン風邪によるパンデミックが、現実からの逃避的な引きこもりを生み、そのことでダダイズムやシュルレアリスム、抽象芸術のような「前衛」美術が生まれたと書いた。それまでの正統的な芸術を現実と考えるなら、それらはさながら悪夢のように毒々しく夜に花開いた。

実際、シュルレアリスムはフロイトの『夢判断』などに触発され、夢に驚くほど多くのインスピレーションを求めた。これはわたしたちがいま、ウイルスを避けて家にこもり、夜になると夢見がちになることと無関係ではないかもしれない。

外界からの感覚刺激を遮断することで内にこもり、夢や無意識に自由の活路を見出すこうした営みは、科学的にもかねて実験されてきた。１９５０年代に米国の神経生理学者、ジョン・C・リリー博士は、「アイソレーション・タンク」と呼ばれる、外界からの感覚刺激を遮断するための実験装置を開発した。その結果、被験者は大脳にしまわれた過去の記憶が、現実の時間空間の束縛を離れ、自由に活動するようになる

2020.5.21

（変性意識状態）ことがわかってきた。

このことは科学界のみならず、多くのアーティストたちの関心を呼び、英国の映画監督ケン・ラッセルが『アルタード・ステーツ／未知への挑戦』（1979年）でこれを取り上げ、広く知られるようになった。アート界でも、ヤノベケンジの「タンキング・マシーン」（1990年）やジェームズ・タレルの「ガスワークス」（1993年）は、この系譜上にある。

注意しなければならないのは、リリー博士の研究が冷戦期において、拘束した敵から都合よく情報を聞き出す効果があると考えられたことだ。人間は外界からの感覚を遮断されると、時間と空間の手掛かりを失い、理性のタガがはずれ、意識が幼少期にまで後退し、簡単に自白してしまうことがわかっている。

わたしたちが家にこもり、夢に自由を求めるなら、他方でそれは、家というアイソレーション・タンクにとどまり、夢のなかで変性意識状態となり、過去の記憶を際限なく呼び覚ましてしまう状態に近づいているのかもしれない。

地球は人間だけのものではなかった

2020年5月28日

新型コロナウイルス感染症の地球規模での蔓延は、結果としてわたしたち人類の母なる地球そのものへの感じ方に、無視することができない変化をもたらしているように思われる。

この新型ウイルスが伝播する速度に拍車をかけたのがグローバリズムであることは、たびたび指摘されてきた。グローブにはもともと地球の意味がある。しかし、わたしたちがグローバリズムと言うとき、そこで意識されていたのは「世界」であって、地球ではなかった。

世界と地球との差は大きい。地球と言うとき感じられる宇宙に浮かぶ球体の感覚や、大気圏で覆われた水球としての地球といった意識は、前者では極めて乏しい。世界の主役はあくまで人間であり、社会的な活動を行わない動物や自然は念頭に置かれていない。それどころか、動物は食糧として、自然は開発の対象として、むしろビジネス

2020.5.28

の糧へと貶められている。

ところがどうだろう。新型コロナウイルスがあっという間に地球を覆い尽くし、都市が閉鎖され、飛行機が飛ばなくなり、人が家にこもるようになると、家にいながらにして、わたしたちは地球とのこれまでと違う接点を持った。それは、これまでの世界という感覚とは全然違っている。少なくともわたしはそうだ。

その一因に、方々で伝えられているとおり、人間の社会的活動が激減することで、自然や動物たちが、本来ある姿を取り戻したように感じられたことがあるに違いない。空は青く澄み、小鳥たちは嬉しそうにさえずり、夜空は宇宙にまで届くようで、月の輪郭はこれまでになく鮮やかだ。

むろん、そこには多くの犠牲者たちを伴っている。わたし自身、いつ新型ウイルスの餌食にならないとも限らない。だが、地球という生態系は、もともと生と死が循環することで成り立つ。動物や自然だけではない。目に見えないウイルスも、ずっと昔から地球の一員だったのだ。やはり、地球は人間だけのものではなかった。そう言わざるをえない。

新型コロナウイルスが人間の呼吸器、とりわけ肺に深く侵入することも、大気圏を持つ地球を否応なしに意識させられる。わたしたちが日頃からなんの気なしに繰り返している呼吸は、かつて魚類が海から陸に上がってきた進化の痕跡であり、人類と地球とのもっとも身近な、まるでへその緒のような接点なのだ。

わたしたちは、食糧や水が切れても少しのあいだは生きられるけれども、息が詰まればすぐに死んでしまう。そこを冒されるのはこれまでにない恐怖だが、同時に、地球と自分との切り離せない絆を、家にいながらにして痛感する機会にもなっている。心理的（家）にも器官的（肺）にも内へ内へと沈み込み、しかし同時にそれが広大な外宇宙を漂う遊星としての地球にまで届くような感覚をもたらす点で、わたしはいま、昨年の春に国立新美術館で見たイケムラレイコ「土と星 Our Planet」展を思い出している。

イケムラが東日本大震災を遠方の地、ドイツで知らされ、それ以降に大きな変化を遂げるなかであらわれた巨大な「山水画」は、その展示室が「コスミックスケープ」と名付けられていたように、宇宙を示唆していた。それは今回のパンデミックから呼び覚まされる地球的な感覚を、むしろ先取りしていた。わたしたちはいま、再生する骸《むくろ》とともに、まさしくイケムラの呼ぶ「うねりの春」（２０１８年）の渦中にある。

高村光太郎の「手」にかつてない意味が見出される

2020年6月4日

新型コロナウイルス感染症がアートに与える影響は、遠隔型のアート（メディアアート の伸張）のようなわかりやすい対症療法だけでなく、より根源的な次元にまで及んでいるように考えられる。

たとえば、芸術家にとっての手や顔の位置づけがこれにあたる。人類が手を駆使して道具を操り、文明を築いていったことや、鏡に映る自己像を認識し、個人という枠組みが形成されていったことを思い起こそう。改めて確かめるまでもなく、手や顔は芸術にとって、技芸や内省といった成立条件そのものに関わる器官なのだ。

ところが、新型コロナウイルスがヒトに宿る場所は、まさしくこの手と顔にほかならない。ウイルスは手によって媒介され、顔の粘膜から体内に侵入する。徹底した手洗いとマスク（顔を触らないこと）がなにより奨励されるのは、そのためだ。

わたしたちはこれまで、自分の手や顔が身体のなかで、もっとも危険な場所だなどとは、よもや認識してこなかった。むしろ逆だろう。手や顔は自分にとって、もっとも親密な場所だった。新型コロナウイルス感染症では、それが逆転してしまう。手や顔が、自分にとって最大の警戒すべき対象となる。場合によっては敵となる。

このことが、アーティストたちにとって、たいへん大きな価値観の転倒につながらないはずがない。もはや手は技芸の味方ではなく、これまでどおり絵を描くにせよ、最先端の装置を操るにせよ、つねに清潔に保たなければならない危ない他者性を帯びてくる。同時に顔は、ときにやさしく（それこそ）手で慰撫し、表現する主体の実在を確かめるにも気を使わなければならなくなる。アーティストにとって新型コロナウイルスの蔓延は、以後、避けることができない自己の分裂が生じることを意味するのだ。

人間の器官を扱った彫刻では、三木富雄の巨大な耳の彫刻がすぐに思い浮かぶ。耳をかたどった三木の彫刻の不気味さは、そもそも彫刻の主題として耳を前面化するアーティストが過去にいなかったことに多くを負っている。耳は音楽にとってはしごく身近でも、美術にとってそれほどまでのことはない。美術には、視覚をつかさどる目がなんといっても根本的なのであって、ゆえに肖像画の主題は同じ顔でもひときわ目に集中している。耳は物理的にも意味的にも脇役だ。三木はそれを主題化した。

2020.6.4

ところが新型コロナウイルスが蔓延した状況では、耳のように、表現の対象としてわざわざ意識をめぐらす必要のなかった手こそが、最大限に不気味な対象となる。たとえば高村光太郎の彫刻に「手」がある。だが、その著名さとは裏腹なその不自然さは、ふだん手が取るポーズではないことによる。ゆえにこの作品への解釈はこれまでもさまざまだった。だが、高村の意識が手の不気味さそのものに向かっていたのは明らかだ。

なぜ高村は、手をこれほどまでに不自然視したのだろう。この作品の制作年は確定していないものの、一般に1918年頃とされている。

わたしたちはいまでは、この年号から、ただちにスペイン風邪によるパンデミックを連想する。むろん、高村の制作時期がスペイン風邪の蔓延と重なっているかはわからない。また、手がウイルスを媒介する最大の感染源という認識があったかどうかも不明だ。

だが、少なくともわたしたちは、これらのことを通じ、高村によるこの手の彫刻に、かつてない意味を見出すようになっている。

パルテノン神殿と伊勢神宮

2020年6月11日

新型コロナウイルスによる日本の死者が欧米と比べて少ないことについて、麻生太郎財務相が「民度のレベルが違う」と発言して物議を醸した。だが、犠牲者の数が著しく抑えられているのは日本だけの話ではない。韓国や台湾、タイなど、日本よりさらに低い国もアジアでは少なくない。

では、これらの国で欧米と比べて死者が少ない理由はなんなのか。はっきりとしたことはわかっていない。欧米に渡った新型コロナウイルスが強毒化しているとの説もあるようだが、科学的な根拠は乏しい。

よく言われるのは、欧米のような握手や抱擁、接吻といった密接な対面交流が、圧倒的に少ないことだ。逆に言えば、なぜ欧米ではそのような「密」な習慣が発達したのか。

西洋史は戦争の産物だ。そこでは、敵と味方の峻別が極めて重要となる。他者との

2020.6.11

初対面や再会がことのほか重要視されるのは、両者の区別をその都度確かめる必要があったからではないか。身体の接触を許すのは敵ではありえない。気を許した笑顔も同様だろう。日本人から見ると大げさに映る身体接触や顔の表情は、生き残るための儀礼であり、不可欠なものだった。決して昔話ではない。ビジネスの最前線が戦争に譬えられるのを思い起こしてもいい。

ところが、身体接触は新型ウイルスにとって格好の伝播の機会だし、マスクは表情を隠すから敵と味方の区別がしづらくなる。欧米でマスクをすることへの抵抗感は、単なる習慣の域にとどまらず、わたしたちの想像を超えている可能性がある。

想像を超えていると言えば、日本人の風呂好きはつとに有名だ。海外ではホテルにバスタブがないこともめずらしくない。それどころか、朝から毎日シャンプーで洗髪する「朝シャン」は世界的にめずらしいのではないか。また日本では湯上りに「生き返った」などと日常的に表現する。生き返りとは、とりもなおさず「復活」のことだ。キリスト教圏での意味は比べものにならないくらい重い。

これを単なる清潔習慣とは片付けられない。折々の生き返りは、罪や穢れを水浴で祓う「禊《みそぎ》」にも通じる。慣用句で悪事を「水に流す」という言い方も定着している。いずれも反復可能な再生観念に由来し、欧米での原罪や、キリストの磔刑を経て終末の審判までが根拠づけられる、後戻りできない時間軸とはかけ離れている。罪が罰と呼応し、ゆえに水に流せるようなものでは元来なく、目に見える汚れとは懸け離れた抽象概念であることも欧米では大きい。だからこそ、その痕跡を刻んだ物質が重んじられる。美術館はその本拠地だが、器としての建築はより典型だろう。

欧米の文明の原点にギリシャのパルテノン神殿がある。廃墟と化しても、もはや一から建て直されたりはしない。というより、戦乱に耐えた他に代えがたい廃墟だから崇高なのだ。ところが伊勢神宮をはじめとする日本の伝統的な神社建築は、遷宮と呼んで一定の時を経て全面的に建て替えられる。伝統では保存や継続が重んじられるが、実のところ、建築の生き返りではないか。定期的に禊を繰り返していると言ってもいい。

むろん、だから新型コロナウイルスの蔓延を食い止めるのに貢献しているとは言わない。だが、今回のパンデミックを通じて、欧米と日本との生死をめぐる観念の違いが、日常の習慣から透けて見えるように感じる場面があるのは確かだ。それは欧米的な尺度でしかない「民度」というのとは違う。

その展覧会は「酔いどれパンデミック」だった

2020年6月18日

新型コロナウイルス感染症の発生が、都市の規模や密度と強い結びつきがあることは、この間の感染者の推移を見れば、誰の目にも明らかだ。中国の武漢に発し、ミラノやパリ、ロンドンといった欧州の主要都市からアメリカのニューヨークへと飛び火したように、一国を代表するような大都市こそが、ウイルスの活動にとっての主舞台なのだ。日本でも、東京の発生者数が他に抜きんでているのは、改めて言うまでもない。

こうした都市に生息する害獣に自分たちを重ね、活動してきたアーティスト・コレクティヴに、チンポム（Chim↑Pom）がいる。かれらはデビュー以来、殺鼠剤から生き延びることでより強力となった渋谷の繁華街に潜むスーパーラットや、人気《ひとけ》のない早朝から都市のゴミ捨て場を空から狙うカラスの存在を、創作のための大きなモチベーションとしてきた。ゆえに、アカデミックな美大や芸大との縁が薄く、発表の機会もギャラリーや美術館といったアートにとって「陽の当たる」施設ではなく、むしろ真逆の路上や廃屋を貪欲に活用するのは、都市をサヴァイバルする「嫌われ者」にとって、共通の条件でもあった。

都市は迷宮だ。限られた空間を有効に活用するため、土地は細分化され、その隙を縫って道が網の目のように張り巡らされる。おのずと目の届かない部分も増えていく。こうした「陽の当たらない」影は、害獣、害鳥、害虫にとって格好の生息場所となる。建て替えが切りなく続く都市の新陳代謝は激烈で、前回触れた「生き返り」にもこと欠かない。定まった家を持たず、つねに移動せざるをえない身にとって、決して悪くない条件なのだ。

しかし他方、不潔で「荒らし」を武器とするネズミやカラスは感染症の伝播と結びつき、しばしば死の使者に見立てられてきた。いまでも、ネズミといえばすぐにペストを連想するくらいだ。チンポムには、カラスの集団行動を利用した「BLACK OF DEATH」(2007年)という作品もある。これにはペストの別名、黒死病を連想せずにおられない。現在も渦中にある「パンデミック」と、それ以前から、これほど強い結びつきを持つアーティストも、めずらしいと言わなければならない。

その意味で、ほとんど予言的としか呼びようのないプロジェクトが昨年、かれらの

2020.6.18

手で英国のマンチェスターで披露された。なにせ、タイトルが「A Drunk Pandemic」(酔いどれパンデミック)なのである。

マンチェスターも大都市の例にもれず、かつて19世紀に大規模なコレラの蔓延があった。産業革命で拡大を続けていた都市化の産物だった。地方から流入する労働者の都市への一極集中、貧困層の拡大、爆発的に増える人口を支え切れないインフラの不整備は、おのずと都市の随所に感染症リスクの高い環境を生み出した。突如として起きたコレラのパンデミックは、こうした新興の産業資本主義が抱える原理的な矛盾の産物だったが、支配者層はこれを直視せず、むしろ貧困層の不道徳さを要因と喧伝した。社会が備えなければならない制度上の問題が、不都合ゆえに「民度」へとすり替えられたのだ。

チンポムがプロジェクトを敢行したマンチェスター、ヴィクトリア駅の地下に残された巨大な廃墟トンネルは、ほかでもない、当時のこうしたコレラ犠牲者たちが大量に葬られた墓所でもあった。

都市に野蛮な顔が隠されている

2020年6月25日

日本からのアーティスト・コレクティヴ、チンポム（Chim↑Pom）が英国はマンチェスター、ヴィクトリア駅の地下でもくろんだのは、どんなことだったか。

この駅の地下には、かつて産業革命が進み、急速に人口が増え、貧富の差が拡大し、都市の衛生環境が悪化するなかで、起こるべくして起きたコレラの蔓延で亡くなった4万人にも及ぶとされる犠牲者が、墓碑も棺桶もないまま眠っている。

かれらは、打ち捨てられて廃墟となり、長く忘れられたこの場所に、オリジナル・ビール醸造のための工房を設置した。そして展覧会の会期中、トレーラー型の直営店を地上に開き、ビールは来場者へとふるまわれた。だが、公衆トイレを兼ねる店舗では、実は酔った客たちの尿が下水として地下会場へ送られ、かれらはそれをセメントに混ぜてブリックを生産。街路や建物の修復材として、もう一度街へと広く戻された。

なんて不潔な、と思うかもしれない。だが、わたしたちはそのような表現による挑

2020.6.25

発には敏感でも、街の主要なターミナルの地下で、かつて言葉を失うような野蛮がまかり通ったことは、すっかり忘れている。

だが、今回の新型コロナウイルス感染症によるパンデミックの様子を見ていると、21世紀になったいまなお、このようなことがいつでも起きうることをわたしたちは知った。死者との別れの儀式は極度に制限され、それどころか火葬が追いつかぬため、感染した屍体は都市のさなかで冷凍車に保存され、地域によっては深い穴を掘り、まとめて埋められた。なかには道で行き倒れたまま放置されることさえ起きたという。

このように、激烈なパンデミックは、人間の文明が生み出した利便性の最大の産物である都市《メトロポリス》に、まるで原始時代に戻ったような野蛮な顔が隠されていることを、突如として暴露する。だが、これまでもチンポムは、もともと都市がその兆しと言うべきネズミやカラス、ゴキブリを絶えず駆除しようとする終わりのない過程とともにしか成り立たないことを、さまざまなプロジェクトを通じて明らかにしてきた。

不潔なのではない。こうした害獣たちが都市に好んで生息するのは、ほかでもない人間がいるからだ。としたら、都市が持つ不衛生は、実のところ、かくも洗練された社会のシステムを誇る人間の、消すことができない裏の本性でもあることになる。それ言い換えれば、だからこそわたしたちはそれを容易に認めることができない。それどころか、その温床とされる不道徳の兆候があると、根絶しようと懸命になる。いっそ記憶から抹消してしまおうとする。

だが、パンデミック下にあったかつてのマンチェスターでは、不衛生な水よりも、熱処理をしたビールの方がずっと重宝され、飲料水のように推奨されていた。水よりも酒の方が健康にいいという本末転倒が起きたのだ。その結果、街には酔っぱらいがあふれ、かれらの不道徳な暮らしこそコレラ蔓延の原因と責められる一方で、それはごく日常的な衛生対策の帰結でもあったことになる。

現在進行中の新型コロナウイルス感染症への対策でも、ことあるごとに夜の盛り場が取り上げられる。在宅勤務で酒量が増えたという話も随所で聞く。かつてのマンチェスターを舞台にしたチンポムのプロジェクト「A Drunk Pandemic」(酔いどれパンデミック)は、決して過去の話ではない。

パンデミック下のリアルを先取りした『漂流教室』　2020年7月2日

新型コロナウイルス感染症の蔓延以降、一斉に沈滞化した大規模エンターテインメントを尻目に、累計で160万部を突破する爆発的なヒットを記録したのが、フランスのノーベル賞作家アルベール・カミュによる、その名も『ペスト』だ。SF小説の分野では、スペイン風邪ならぬ「チベットかぜ」に端を発し、やがて生物化学兵器としての本性を剝き出しにした「たかが風邪」が、瞬く間に人類を滅亡の淵に追い込む小松左京『復活の日』が、1964年という前回の東京五輪開催の年に書かれたこともあり、話題となっている。小松がのちに世に問う『日本沈没』(1973年)が、あたかも東日本大震災を先取りしたかの描写に満ちていたことと併せ、まさに予言的な作家と呼ぶことができるだろう。

だが、小松が『復活の日』を発表する2年前に生まれ、『日本沈没』の頃に思春期を迎えようとしていたわたしの世代にとって、ペストと聞いて真っ先に思い浮かべる作品は、日本を代表する恐怖マンガの巨匠、楳図かずおによる代表作のひとつ『漂流教室』（連載1972〜74年）の方なのだ。さらにこの作品は、新型コロナウイルス感染症がもたらした「遮られる世界」とも、たいへん深い関わりを示している。

なぜ漂流なのか。主人公の高松翔が通う大和小学校はある朝、原因不明の大爆発により未来世界に飛ばされてしまう。だが、そこは人類が滅亡したあとの生命の糧が枯れ果てた希望なき世界だった。頼りになるはずの大人が理性を保てず、発狂して殺人鬼となり、生徒が一人またひとりと命を落としていくなか、突如としてペストが発生する。狭い学校の敷地に閉じ込められ、なすすべもなく黒い死の斑点を肌にあらわに倒れていく級友たち。やがて翔も罹患し、絶望の果てで、時間も空間も遠く彼方に引き離された母に、届くはずもない特効薬を懇願する。

しかし、それが翔たちのところに届くのだ。周囲から絶望視され、爆発で全員死亡したと安易に片付けられるなか、翔たちは死んでいないとひとり絶対に望みを捨てない母が、精神に異常をきたしたと疎まれながらも、未来世界の地下室に残されていたミイラのからだを通じて、遠隔で漂流する教室につながる道筋を発見したのである。

わたしがこの『漂流教室』に、現行のパンデミック下でのリアルさを感じるのは、なにも世代的な背景だけではない。というのは、いま少しだけ触れたとおり、本作は

2020.7.2

致死性の感染症の爆発的拡大の恐ろしさを予言的に描いただけではない。そのような状況下で、遠隔通信が極めて重要な意味をなすことを取り上げた点で、作者の棋図かずおの先見性には、飛び抜けて特異で、なおかつ示唆に富むものがある。

むろん、この作品が書かれた時代には、現在のようなインターネットによるリモート技術や現在のような宅配便は存在していない。せいぜいが電話くらいだ。にもかかわらず作者の楳図は、空間的に距離を置くだけでなく、時間的にも遠く引き離された場所との生々しいやりとりを描くことで、当時のメディアを遥かに超えた遠隔通信のヴィジョンを提示している。

それだけではない。はたして「学校」は安全なのか、そこにとどまることを断念してわずかでも「帰宅」の可能性を探るべきか――そして授業ができないなか、どうやって学習や成長は可能かを争点とした点で、『漂流教室』は、パンデミック下での学校のあり方や「ステイホーム」の是非を先取りしていた。

動物が人類に復讐する

2020年7月9日

スーパーマーケットやコンビニでレジ袋が有料化された数日後、熊本県での記録的な豪雨で甚大な被害が発生した。前者は「日常」の暮らしにまつわることで、後者は「異常」気象の産物だ。両者はまったく無縁に感じられるかもしれない。けれども、買い物をすれば好きなだけビニール製のレジ袋がもらえたこと自体が、かなり「異常」なことではなかったか。

あたりまえすぎて気がつかなかったかもしれない。けれども、それはある意味、利便性を追求した人類の近代文明がたどり着いた豊かさの頂点であった。それがついに頭打ちになった。人間が暮らす環境そのものが破壊されれば、利便性も日常もないからだ。その最たる例が、記録的な集中豪雨の異様なまでの多発だ。相次ぐ新型ウイルスによるパンデミックと同根かもしれない。一見しては無関係と思える事象が、地球という次元ではつながっていたのだ。

2020.7.9

実のところ、新型コロナウイルスがどのようにして登場したのか。わからないことは多い。けれども、もともと人の手が届かない領域で特定の動物と共生していたウイルスが、安定した生息の大前提であった森林の破壊や商取引の横行で、動物からヒトへと感染する経路を作り出した可能性は否めない。本来、こうした閉じられた生態系は、めったなことでは外に剝き出しになることはなかった。利潤をなにより優先するグローバリズムの暴走は、そんなパンドラの箱さえ、やすやすと開けてしまった。そうなら、ウイルスの存在は利便性ばかりを追求したわたしたちの日々の生活と、やはりどこかでつながっていたことになる。

もっとも、森林や動物はしゃべることができない。ゆえに抗議の声を上げることはない。ところが、楳図かずおによる異色の大作『14歳』（連載1990〜95年）は、数多くの動物を絶滅させ、地球そのものを破壊するに至った人類の身勝手に対し、動物や植物が実力行使に出る。虐げられ、食料として消費されるだけだった動物は、人工培養されるササミの肉から鳥人、チキン・ジョージ博士を生み出し、人類に復讐を遂げようともくろむ。地球のへそにあたる長寿の巨木を切り倒された植物は、地球全体で一斉に枯れ、死すべき大人たちを見捨て、葉緑素を人間の赤ん坊に移して、地球から宇宙へと脱出しようとする。

荒唐無稽だろうか。いや、構図が『14歳』の前半で描くクライマックスには、人類の破滅を間近に控えた先進国の国家元首たちが、自分たちで陥った解決不能の難局を前に、テレビ電話を通じ、なすすべもなくたがいに懺悔し合う国際会議の様子が出てくる。これとよく似た場面を、わたしたちは新型コロナウイルス感染症のパンデミックの報道を通じ、テレビの画面で目撃したばかりではなかったか。

いずれせよ、地球上にいったん解き放たれた新顔のウイルスは、理屈で考えれば人類のすべてが感染し、ようやく抗体を獲得するまで広がり続ける。それまでにどれだけの犠牲が払われるかについては、まったくの未知と言ってよい。これに唯一、逆らうのが医学という人類の武器である。そのことを考えると、動物の代表、チキン・ジョージ博士が科学者であったのは興味深い。そしてチキン・ジョージ博士は、人を超えたその知識と技術ゆえに、本来の目的を遂げることなく自滅するのである。

エイズは大きな参照源となるはずだ

2020年7月16日

新型コロナウイルスについて考えるため、わたしたちが改めて呼び出した過去の大規模な感染症は、もっぱら中世のペストと20世紀初めのスペイン風邪だった。わたし自身も本週報も、その例に漏れるものではない。だが、もっと近い過去に属する世界的な感染症のうち、ＳＡＲＳやＭＥＲＳのことを耳にする比率に比べ、ＡＩＤＳ＝エイズ（後天性免疫不全症候群）についてあまり語られないように思うのは、どうしてだろうか。

エイズの出現は、いろいろな意味で衝撃だった。その起源については他の新型ウイルスと同様、諸説があるようだが、初期の死者が報告されたのは、１９８０年代、アメリカでのことであった。当時、まだ病原体であるＨＩＶ（ヒト免疫不全ウイルス）が同定されておらず、犠牲者に同性愛者や麻薬の常用者が目立ったことから、臆測と偏見により、不道徳に対する神の天罰とあからさまに責められることさえあった。また日本では、ウイルスの不活性化のための熱処理を行わなかった血液製剤により、多数の感染者や犠牲者を出した薬害エイズ事件のことを忘れることはできない。

ＨＩＶウイルスは、いま血液について触れたように、主に体液と傷ついた皮膚や粘膜との直接的な接触を通じて感染するため、新型コロナウイルス感染症のような飛沫による爆発的な感染力こそ持たなかった。だが、人の免疫細胞に侵入してその機能を破壊し、外部から侵入する異分子への抵抗力をほとんど失わせてしまうエイズは、ひとたび発症すれば手の施しようがなく、やがて訪れる死へと確実に直結する恐ろしい病であった。現在でこそ症状の進行を抑える効果的な治療薬が開発されているものの、有効なワクチンはいまだに開発されていない。全陽性者数は２０１８年の時点で３７９０万人に達し、そのうち新規感染者は１７０万人とされ、大きな話題になることこそ減ったものの、いまなお増え続けている。

けれども、わたし自身が美術批評家としての活動を始めてまもない１９９０年代初頭に、世界的なパニックに近い反応を巻き起こしたエイズの持つ意味について、社会だけでなく、文化・芸術の側面からも批評することを迫られたその切迫の度合いは、のちのＳＡＲＳやＭＥＲＳの比ではなかった。その点では、直近の新型コロナウイルス感染症によるパンデミックがそうであるのと同様、エイズは確かに、文化・芸術の

2020.7.16

問題系と深く結びついていた。そこからも、過去の大規模感染症の事例のうち、ペストやスペイン風邪と並んで、場合によってはそれ以上に、大きな参照源となるはずなのだ。

もっとも、エイズによる文化的なインパクトは、なにより犠牲者の特別な「名簿」によるところが大きい。ハリウッド俳優のロック・ハドソンやロック歌手のフレディ・マーキュリーをはじめとして、思想家のミシェル・フーコー、美術界ではキース・ヘリングやロバート・メイプルソープといった一世を風靡したスターから、デレク・ジャーマン、デイヴィッド・ヴォイナロヴィッチ、フェリックス・ゴンザレス＝トレスら、アンダーグラウンドで絶大な影響力を持つアーティストが次々に倒れていった。日本でもダムタイプの中心人物であった古橋悌二がエイズによる合併症で命を落としている。

かれらが死んでいったのは、その生き方によるものではない。ウイルスこそがかれらから命を奪ったのだ。同様に、わたしたちはいま「夜の街」という呼称に最大限の注意を払わなければならない。

「沈黙」が「死」を招く

2020年7月23日

ニューヨークで新型コロナウイルス感染症が猛威を振るうなか、ひとりの作家でアクティヴィストが世を去った。ラリー・クレーマーだ。84歳だった。

1980年代初頭、同性愛をはじめとするマイノリティーの権利擁護者で、みずからもHIV陽性であったかれは、身のまわりで仲間たちがなすすべもなくバタバタと死んでいくのに耐えられず、意を同じくする者たちと状況を改善するため、街頭で声を上げ、やがて政府や製薬会社への直接的な集団行動に出るようになる。

その過激なやり方は、あまりに度を過ぎる、とたびたび非難されることもあった。しかし、当時のHIVウイルス感染者への偏見は、それくらい酷かったのだ。この「大いなる怒り《グラン・フューリー》」は次第に世界へと広がり、先進国を中心に、エイズをめぐる政府や製薬会社の対応に劇的な変化を起こしていった。

未知の感染症へのクレーマーの勇気ある怒りと行動によって目覚めさせられた者は

少なくない。いま、新型コロナウイルス感染症について、わたしたちが米国からの報道でしばしば目にする米国立アレルギー感染症研究所所長、アンソニー・ファウチも、そのひとりだ。ファウチはかつて、クレーマーから、無能で愚かな殺人者と公然と非難されたことがある。だが、そのファウチも、クレーマーについて、米国の医学界はクレーマー以前と以後の時代に二分される、とその功績を認めている。ファウチは、新型コロナウイルス感染症を軽視するトランプ大統領への歯に衣着せぬ物言いで話題となったが、そんなところにも、ひそかにクレーマーの影を見てとることができよう。

そのクレーマーが、感染者をめぐる政府の無視・無策への抗議・攻撃を、エイズの感染拡大防止のための啓発的なキャンペーンと並行し、広く市民へと伝播させるために結成した団体が、アクト・アップ（ACT UP）であり、さらにここから派生したのが「グラン・フューリー」だった。だが、アクト・アップのやり方は、それまでの政治的なデモンストレーションと比べても、視覚的インパクトを極めて重んじる点で、アートとの接点をたいへん多く持っていた。

そのうち、もっとも知られたものが、「SILENCE＝DEATH」（沈黙は死）という標語と、黒字にピンク色の三角形をあしらったヴィジュアルで、後者は、第二次世界大戦時、ヒトラーのナチスによる同性愛者弾圧の際に使われたものの批判的引用であった。アクト・アップは、これらを強烈な印象を残す簡潔な声明と組み合わせ、プラカード、バッジ、キャップ、ステッカー、ポスターなどへと援用し、抗議の意思を街の至るところに広げていった。

既存のイメージを引用し、異なる文脈で批判的に活用するのは、当時のシミュレーション・アートの手法でもあった。だが、かれらは、これを専門的な知識を前提とする美術館や評論を飛び越え、誰もが目にする街中で行使した。この点でアクト・アップは、のちのアート＝アクティヴィズム（のちのACやSEA）に多大な影響を及ぼした。アンソニー・ファウチに倣って言えば、パブリックアートは、アクト・アップ以前と以後で二分されると言ってもいい。

むろん、エイズとは比べものにならない新型コロナウイルス感染症の「無差別」な蔓延に、同じやり方は通用しない。だが、政府の無策への「沈黙」は「死」に通ずるというアクト・アップのメッセージは、いまなお、というよりもいまだからこそ、振り返られるべきものがある。

放射能もウイルスも「目に見えない」

2020年7月30日

芸術のあり方について根本から考えさせられたという点で、東日本大震災と新型コロナウイルス感染症とのあいだには、共通する側面がある。むろん、対照的な面も少なくない。前者では、もっぱら文化・芸術に関わる者にいまなにができるかが問われたのに対し、後者では、それ以前に活動そのものが立ち行かなくなるケースが大幅に増えた。ほかにも震災では、地震・津波を通じていかに壊滅的なエネルギーの放出があったとしても、地球の規模で言えば局所的な現象にとどまる。「東日本」という名称が端的にそれを示しているとおりだ。他方、ウイルスの蔓延では、目に見える物理的な破壊こそないものの、その影響は地球をすっぽり包み込むほどの規模に及んでいる。文字どおりの「パンデミック」にほかならない。

もっとも、東日本大震災の被害の規模を大きくしたのは、東京電力福島第一原子力発電所でのメルトダウン事故（福島原発事故）である。そこから放出された膨大な量の放射性物質は、大気や海洋を通じ、ひとつの震災の規模を超えて拡散し、人類そのものへの被害を及ぼす危険をいまなお秘めている。その点で、放射能とウイルスとのあいだには、地球規模と呼んでいいスケールの拡散性において、たがいに共通する性質があると言えるだろう。ただし、福島原発事故で放出された放射能が「ただちに影響がない」とされたのに対して、新型コロナウイルスは、ひとたび重症化すれば、たちまちのうちに致死へと至る例も少なくない。

とはいえ、両者がかくも恐れられるのは、なんといってもそれらが「目に見えない」からだろう。ところが芸術とはもともと、視覚的な表象に多くを負う美術やアートであればなおさら、古来より目に見えない世界をどのように可視化するかに知恵を尽くしてきた。たとえばそれは、死をどのように表現するかなど、一種のメタファー(比喩)での次元だったわけだが、放射能やウイルスは比喩ではなく物理的な存在であり、なおかつ目に見えない。こうした事態に対して、表現者がどのように関わることができるかという問題について言えば、東日本大震災と新型コロナウイルス感染症とのあいだには、芸術にとって普遍的な問題が共通していると言えるだろう。これらの巨大なスケールと、対照的に目には見えないという捉えどころのなさに対し、表現者にとって、どこかに手掛かりはないものか。

2020.7.30

放射能やウイルスを間接的に視覚化するきっかけとして、わたしたちはこの十年あまり、マスメディアやネットを通じて、防護服という人工的な皮膜について何度となく目にしてきた。さらに日常的な次元で言えば、防護策としてのマスクがこれにあたる。ところが、原発事故の際に着用したマスクが放射性物質の吸入を避けるためのものであったのに対し、パンデミックでは、体内のウイルスを外部に出さないための効果が主な目的となる。マスクという人工の皮膜の内外で、目に見えないものと接するうえでの関係が入れ替わっているのだ。

いまやわたしたちの顔の一部になりつつあるマスクは、至極単純なようでいて、ほぼ常態化しつつある災厄の性質ごとに、わたしたちの体内と外部環境を、まるでメビウスの輪のように循環させている。マスクをどう捉えるかは、目に見えない世界を捉えるアートにとって今後、ひとつの鍵となるように思えてならない。

死者たちを身近に感じるようになった

2020年9月11日

ほとんど殺人的であった猛暑を経て週報を再開する。加えてこの夏は東京で新型コロナウイルス感染症の新規陽性者が激増し、一時は一日で500人を目前とするまでとなった。現在は減少傾向に至っているが、まだまだ油断することはできない。とはいえ、春先の第1波ほど重症者の数は多くなく、死者も目立たず、受け入れ側の医療体制も逼迫するまでには至らなかった。そうした相対的な楽観性と、少しずつでも人々がこのウイルスとの共存に慣れてきたのだろうか。都心での街の様子は意外と明るく、以前とは比べるべくもないものの、それなりのにぎわいを取り戻している。

もっとも、街や人々の様子が明るかったのは、夏という季節のこともあったかもしれない。猛暑ではあったけれども、見上げる空は青く晴れ、白い雲は轟くようで、セミの声もいつもと同じようににぎやかだった。確かに例年と同じように遠方へ旅行したり、祭りや花火大会のひとときを堪能することはかなわなかった。だが、それでも季節としての夏の解放感までが完全になくなってしまったわけではない。言い換えれば、夏はその季節としての特別さを増している。秋以降、感染状況の第3波、第4波の様子によっては、その貴重さはさらに格別なものとなる可能性がある。

こうした季節をめぐる微妙な、しかし積年のうちには人々が暮らしを営むうえで大きな心理上の変化となりうることのほかに、この間、自分の内面でなにが起きただろうか。外出が制限されていることは程度の違いこそあれ、基本変わりがない。取材のための出張は確かに激減している。だが、わたしのような評論の執筆では、もともと大規模な調査などは必要とされていない。そもそも、もとを正せば批評は文芸の一種であり、成り立ちからして孤独な作業で、演劇や映画のような集団性は皆無だし、通信が発達した現在では、以前のように担当の編集者と直《じか》に接する局面さえほとんどない。ペンと原稿用紙、そして簡易な机さえあれば——いまならパソコンや人によってはスマホでも——どこでも仕事ができる。そう、物書きはもともとリモート・ワークだった。これは絵画や彫刻のような美術でも同じかもしれない。一人で黙々と作業するぶんには、感染リスクなどありようがない。

見えてこないのは、むしろ未来の姿かもしれない。たとえ今後もウイルスとの共存に慣れていったとしても、それは慣れたというだけで、以前の生活に戻れるわけではないし、以前の生活より希望に満ちているわけではない。ちまたではリモートの可能性が語られる一方で、わたしたちは生きている限り決定的に身体を持つ存在で、実体のない情報などではない。そのギャップは、リモートの可能性が語られ、実際に実現すればするほど、生きているという実感から乖離していくことになるだろう。

その余波からだろうか。わたしはすでにこの世にいない死者たちを以前よりも身近に感じるようになった。そして、過ぎ去った記憶が不意に鮮やかに蘇るようになった。死者にせよ記憶にせよ、頭のなかで何度も「再生」する癖がついた。過去の再生である限り、そこに新型コロナウイルスは存在しない。感染のリスクもない。しかし安全のためにそうしているわけではない。生身の接触や体験が抑制されているぶん、過去の方が生々しくなっているのだ。それが意外な着想源になる。このような傾向は、はたしてわたしだけだろうか。

誤った隔離政策で名を奪われた人たち

２０２０年9月24日

新型コロナウイルス感染症の蔓延以降、ちまたではにわかに「隔離」という言葉が使われるようになった。ほとんど毎日と言ってもいい。今回の事態の前から、隔離という言葉に心のどこかで敏感になっていたわたしは、新型コロナウイルス感染症拡大を防止するため、患者を一定期間、社会から隔離するのが必須であることを頭では理解していても、この言葉を聞くたび、小さな緊張が走るのを感じた。前回、感染の拡大のため家にこもる機会が増えるにつれ、頭のなかで過去の記憶を再生し、この世を去っていった死者への思いが募るようになったことについて触れた。実はそのことと隔離、という言葉が持つ緊張感とのあいだには、わたしにとって切っても切れない関係がある。

わたしが「瀬戸内国際芸術祭」に初めて足を踏み入れたのは、２０１０年に開かれた第１回のことだった。ディレクターの北川フラムから、どうしても行ってほしい会場がある、と言われたからだ。船が着いたのは、高松からほどない距離にある大島という島だった。この芸術祭の主会場として、いまや世界的に知られることになった直島などと比べれば、目と鼻の先と言っていい。しかしその近さは、簡単には埋められない距離でもあった。「国立療養所大島青松園」——そう、ここは島全体が国立のハンセン病療養所となっているからだ。むろん、患者はもういない。入所しているのは、みな回復者の方々である。しかしそれでも、一般の人がこの島に渡るには特別な手続きが必要だったのを、北川がこの島を芸術祭の会場のひとつとして組み込むことを強く主張した結果、わたしのような者もなんの気なしに島を訪ねることが可能になったのだ。

いま、なんの気なしにと書いたが、島で「展示」を通じて出会った体験は、それまで知識としてしか理解していなかったハンセン病をめぐる過去の知られざる出来事を、わたしの前に強烈に突きつけてきた。とりわけ、芸術祭の開催に先立ってこの島の問題と取り組み、「やさしい美術」と名付けられたプロジェクトが実現した展示には、思わず息をのんだ。このプロジェクトを主宰する美術家の高橋伸行が、入所者の方々との交流からその存在を知り、断崖下の海岸から引き上げられることになった解剖台が、そのまま展示されていたからだ。

いったい、なんのための解剖台か。病を理由にこの島に隔離され、焼かれて骨と灰になっても、二度と故郷に帰ることができなくなった患者たちは、亡くなると、埋葬の前に島内の施設でひそかに解剖されていたのだ。いま、芸術祭の会場で目の前に置かれているのは、打ち捨てられ、誰の目も届かなくなっていたはずの、そのような歴史の産物そのものにほかならなかった。

このように、隔離という言葉には、取り戻すにも取り戻しようのない、国の誤った隔離政策で名を奪われた多くの人たちの無念の思いや、声なき声が奥底で響いている。だが、わたしが衝撃を受けたのは、そのような事実を知識としてではなく、アートをきっかけとする展示を通じて目の当たりにした、ということでもあった。アートには、隔離によって「遮られる世界」の向こうとこちらをつなぐ力があるかもしれない、と思ったのも、そのときが初めてのことだった。このアートの力は、ウイルスとともに隔離が世界中に広がった今回のパンデミックのもとでも、はたして有効だろうか。

『花までの距離』が教えてくれること

2020年10月8日

瀬戸内に浮かぶ離島、香川県の大島にある国立ハンセン病療養所・大島青松園に、かつて政石蒙《まさいしもう》（2009年没）と呼ばれた歌人が入所していたことを知ったのは、この島を会場のひとつとする「瀬戸内国際芸術祭2016」を通じてのことだった。展示のために参加したアーティストの山川冬樹が、発表の手掛かりに島と自分とのつながりはないものかと懸命に探しているなかで、ほとんど運命的に巡り会ったのが政石だった。

その結果、生まれた山川の作品について今回、具体的に触れる余裕がないのは残念だが、その政石が隔離された島でかつて詠んだ歌の数々は、新型コロナウイルスによって遮られた世界について考えるうえで、大きな示唆を含んでいる。

その前に政石について簡単に紹介しておく。愛媛県松野町に生まれた政石は、従軍していた満州での敗戦後、モンゴルでの抑留中にハンセン病であることが発覚。捕虜のなかで一人だけ、さらに別の箇所に距離を置いて小屋に隔離されるという過酷極まりない境遇を強いられた。代表作のひとつ『花までの距離』（1979年）は、復員して1年後に大島青松園に入所してから本格的に詠み始めた短歌のうち、その頃の二重の抑留体験を、自在な筆致で随筆をまじえ回顧した私家版の一冊だ。

故郷から遠く離れたモンゴルで、さらに隔離された政石は、古煉瓦を並べて作られた境界線から出ることを固く禁じられた。周囲に人気《ひとけ》はまったくなく、訪れてくるのは朝夕に監視のためにやってくる係の者が一人のみ。日中は、春を迎えると見渡す草原を思うがままに駆け、気ままに寝そべる家畜たちを眺め、いますぐ牛や馬に生まれ変わりたいと羨望した。

書名の「花までの距離」とは、その頃、政石が境界線のすぐ外に咲いているのを見つけた、虹色に輝く美しい花との幻想的な語らいに由来する。政石はすぐにでもその花を手に入れたかったけれども、「コノ線ヨリ絶対ニ出ルベカラズ」と強いられた境界線が邪魔して、どうしてもそれができない。やがて花は、その禁断を踏み越えよと政石を妖しく誘惑し始める。とうとう政石は当番の医師に頼み込み、古煉瓦を少しだけ移動する許しを得て、目的の花を手に入れる。

ところがどうしたことだろう。その途端、花はかつての輝きを失い、前のように親しげに語らってくることもなくなってしまった。そしてそのとき、政石は自分を世界から遮る鎖が、古煉瓦で組まれた境界線などとは比べものにならないほど強靭で、到底変えがたいものであることを思い知らされたのだ。

新型コロナウイルスで世界中に張り巡らされた境界線は、政石のように極限的な隔離を体験した者と比べたとき、ものの数ではないと思われるかもしれない。けれども、政石による「花までの距離」は、わたしたちを遮る「新しい生活様式」の要となる「ソーシャル・ディスタンス」が、決して物理的な距離にとどまらない、感染した者への偏見まで含めた根深いものかもしれないことについて、改めて教えてくれる。

ハンセン病癒ゆるとも人に非ずとふ投書を前に何をか言はむ

政石が詠んだ歌には、いつもどこかで「花までの距離」が折り込まれている。この距離《ディスタンス》は、決して過去のものでも他人事でもない。隔離があたりまえになった世界でこそ、人との距離とはなにかについて真剣に考えなければならない。

迷うこと、それを「リングワンデルング」と呼んでみたい

2020年10月22日

新型コロナウイルス感染症の拡大防止のため、緊急事態宣言が出された外出自粛期間中、ふだんは通勤や通学のため足早に通り過ぎ、あるいは車の窓越しに見過ごしていた家の付近を、わずかに許された大事な景色として捉え、ゆっくりと時間をかけて歩いた。多くの人がそうだったはずだ。すると、なんの変哲もないかに見えた家の周囲が、意外なくらい変化に富んでいたことに気づいた。

朝、どんな音楽よりも美しい鳥たちのさえずりで目を覚ますと、都会のただなかにも、しっかりと自然が残されていることを知った。道端には季節ごとの草花が葉を伸ばし、花を咲かせ、いろいろな虫たちが競って集まっていた。世界はいま、パンデミックで過去に例を見ない大混乱に陥っている。そんなことが信じられないような日常が、ゆったりと広がっていた。未知のウイルスによる未曾有の危機によってもたらされた、かつてない心の落ち着き——震災や戦争といった局所的なカタストロフと、感

染症による地球規模のパンデミックとの違いと言って片付けてしまうことのできない、それは、とても不思議な感覚だった。

他方、そうした「新しい日常」のなかには、わたしたちがしばしば旅に出る動機のうち多くを占める非日常の体験も、しっかりと残されていた。家の周囲と言っても、少し足を伸ばしただけで、まったく見知らぬ街並みとなり、ちゃんと家に帰れるのか、心配になってくるのだ。距離にしたら、全然たいしたことはないはずだ。へたをすれば、道を一本外れただけかもしれない。それでも「新しい非日常」は、未知であることの不安をもたらした。何度家の方に戻ろうと思っても同じ道に出てしまい、似たようなところをグルグルと回っているだけだったこともある。狐狸《こり》に化かされたみたいだった。そういうときは結局、文明の利器＝スマホに頼ることになるのだが、逆に言えば、スマホがなんだか、妖怪から身を守るお札のように感じられてきたものだ。

こうした体験も、昨今しばしば耳にするマイクロツーリズムの一種なのだろうか。いや、違う気がする。道に迷って得られる体験に、経済的な合理性はないからだ。わたしは、それをあえてドイツ語で「リングワンデルング」と呼んでみたい。山などで道に迷い、方向感覚を失って、同じところを円を描くようにグルグルと彷徨《さまよ》い歩いてしまう状態を指すらしい。そんな言葉がなぜさっと出てくるかというと、瀬戸内にあ

2020.10.22

る離島の国立ハンセン病療養所・大島青松園に、昨年の「瀬戸内国際芸術祭2019」から公開された、同じタイトルの作品があるからだ。

作者は美術家の鴻池朋子。といっても、作品と呼ぶには相当変わっている。鴻池は、隔離された入所者たちが1933年に自力で切り開いた、島北部の小高い山を周回する散策路に、いつしか背丈を超えるシダが生い茂り、立ち入りができなくなっていたのを、ふたたび整備。随所に作品を据え工夫を凝らし、芸術祭の来島者が同じ道を追体験できるようにしたのだ。

芸術はつねに未知の可能性を探求する。しかしいま思うと、鴻池の「リングワンデルング」は、まもなくパンデミックでたがいに遮られることになるわたしたちの円環状の彷徨いを、かつて隔離され、集団生活を強いられていた人たちが、ひとりになれる時間を求めて近隣を歩いた感覚を通じて、先取りしていたかに思えてくる。

芸術祭最大の魅力が最大のリスクになってしまった

2020年11月5日

2010年の第1回開催から、瀬戸内国際芸術祭の会場の一角となった国立ハンセン病療養所のある香川県の大島は、入所者の方々がひときわ高齢化しており、新型コロナウイルス感染症防止対策の観点から、とりわけ慎重を期する必要があり、現在は一般への公開がされていない。一般の来島者だけではない。この週報で紹介してきた大島での芸術祭に持続的に取り組んできた美術家たちであっても、まったく入島ができない状況なのだ。

コロナ禍での国際芸術祭開催の困難さについては、すでにこの場でも触れてきた。平成の現代美術を国際的にも国内的にも牽引する晴れ舞台となった「芸術祭の時代」の急激な失速は、自治体はもちろん、美術家や観客、地元住民、そして芸術祭を通じて多くの経験を積んできた国内外のボランティアにとっても、大きな試練の時となっている。

2020.11.5

中止や延期、規模縮小、全面的なオンライン化などの苦渋の決断や暗中模索が続くなか、大島と同じ離島で、ひとつの前例となるかもしれない国際芸術祭の試みがこの秋、実施された。

ところは変わり、場所は新潟県の離島、日本海に浮かぶ佐渡島。日本では沖縄本島に次いで二番目に大きい島で、人口も約5万2千人を数える。といっても、新潟港からフェリー船で2時間半はかかる。県営の空港も運休中で、人口の減少や高齢化などの問題を抱える離島であることに変わりはない。万が一の感染拡大があれば、ただちに医療体制が逼迫するのは目に見えている。

この島で14年以来、21年の本開催に向けて、着々と準備が重ねられてきたのが、「さどの島銀河芸術祭」である。秒読み段階に入った今年は、芸術祭プロジェクト名義で、アメリカ西海岸から音楽家のテリー・ライリーを迎え、ライヴ・コンサートなどが開催された。といっても、国際芸術祭は、美術館や劇場を主会場とする単体の展覧会や催しと違い、随所で人が入り交じり、どうしても密な状況が生まれやすい。

というよりも、そのような予想外の接触や、密ならではの世代や国籍を超えた盛んな交流をバネに拡大してきたのが芸術祭の特徴でもあった。芸術祭最大の魅力が、コロナ禍では感染拡大の最大のリスクへと裏返ってしまったのだ。会場が離島なら、なおさらだろう。加えて主役のテリー・ライリーは、すでに85歳を数える。

この状況で主催者が採用したのが、ライリーのライヴへ参加する者すべてにＰＣＲ検査の陰性を条件づけることだった。実際、わたしもこれを機に初めてＰＣＲ検査を受けた。結果は陰性で、だから芸術祭に向かうことができたのだが、心がざわついたのも事実だ。自己負担となる費用の面でも、心理的にも小さくない不安が生じるやり方も、誰しもが楽しめるはずの芸術祭として妥当かどうか、賛否が分かれるところだろう。だが、仮に今後コロナ禍が長期化するなら、芸術祭を心の底から楽しむためにも、この方法の採用はひとつの可能性ではある。もう、過去には戻れないのだ。

しかしそのためには、ＰＣＲ検査が日常の風景のなかであたりまえのものとなるほど普及し、経費の面でも躊躇しない公的な補助が必要だ。アートとＰＣＲ検査という、かつてなら想像もしなかった組み合わせも、今後は一対のものとなっていくかもしれないのだから。

攘夷思想はコレラへの嫌悪とも連動していた

2020年11月19日

東日本大震災以降、大規模な災害の発生と文化とのあいだには、切り離せない関係があるのではないかと、以前にも増して強く感じるようになった。人は人知を超えた自然の猛威によって突如、親しい人を奪われたり、家を失ったりすれば、長く鎮魂や慰霊の気持ちを持ち続け、いつか訪れる帰郷の時を乞い願うだろう。どんなに文明が発達しても、科学技術が進歩しても、そうした気持ちには、いにしえからさしたる違いがないはずだ。

祈りにも似た感情が、宗教の発生に深く関与したのは容易に想像がつく。だが、芸術もそうではないのか。やり場のない気持ちを心のなかで際限なく反芻するのに耐えられず、思わず手が動き、なにかを描き、あるいは削り、それが場面（絵画）となり、かたち（彫刻）と化すという成り立ちに、さほどの無理があるとは思えない。

たとえば、幕末の安政期に一種、異様とも呼べる五百羅漢図を残した狩野一信が生きた時代は、巨大な地震が日本各地を立て続けに襲っていた。実際、1855（安政2）年に起き、多大な犠牲を出した安政江戸地震の様子を、一信は身の毛もよだつような筆致で描いている。両者のあいだには強い結びつきがあるのだ。増上寺に長く秘蔵されていたこの五百羅漢図の全百幅が初公開されたのが、奇しくも東日本大震災の年に当たっていたというのは、なんという歴史の巡り合わせだろう。

もしそうなら、疫病の大流行にも同様のことが言えるかもしれない。今回のコロナ禍までわたしは気がつけずにいたが、安政のこの時期は、日本で初めてコレラが大流行を繰り返すようになった時期でもあったのだ。

コレラは19世紀に列強の地球規模の勢力拡大によって、インドの風土病が世界へと拡大したと考えられている。江戸で大規模に流行したのは大地震の3年後の1858（安政5）年で、犠牲者は最低でも10万人はくだらないと言われている。実際、浮世絵師の歌川広重もこの年にコレラで命を落としている。

同年は安政の五カ国条約が結ばれた年としても記憶される。以後、開国の機運が一気に進むと、コレラはこの極東の島国でもたびたび猛威を振るうようになる。グローバリズムの拡大が新型コロナウイルスのパンデミックに拍車をかけたのと、図式としては変わらない。その後、訪れた大政奉還は、政治的な外圧だけでなく、こうした災

2020.11.19

害や疫病による体制の不安定化とも関係があるだろう。排外的機運を高めた攘夷思想は、海外からもたらされたコレラへの嫌悪とも連動していたのだ。

だが、コレラが大流行したのは、江戸のような巨大な天下の街だけではなかった。無差別なウイルスは、本土から遠く離島にまで、その傷痕をしっかりと残していた。国際芸術祭の試行が始まってから、わたしが佐渡を繰り返し訪れるようになったのは、前回触れたとおりだが、その佐渡でも、コレラは大きな犠牲を出していた。史跡として有名な佐渡金山の山深く、ふだんは足を踏み入れない場所に、1879（明治12）年に出た多くの犠牲者を供養するため、コレラ供養塔（通称、コレラ地蔵）の石祠が立つことを知ったのは、つい最近のことだ。内部には地蔵が佇み、柔和な表情で手を合わせているという。いつか、わたしはその地を訪ねることができるだろうか。

あたりまえのように開かれるオリンピックがファシズムに近づく

2020年12月3日

国内はいま、第3波とも呼ばれるコロナ禍の急激な感染拡大に直面している。ところが、この春の第1波とは大きく異なり、都心はどこもにぎやかで、若者たちの歓声にあふれている。

にもかかわらず、一日あたりの新規感染者の数は次々に過去最高を更新している。これ以上、感染拡大が加速することがあれば、医療体制の受け入れも崩壊の瀬戸際となりかねない。だが、以前のような緊急事態宣言の呼び声は、いまだ現実味を帯びてこない。それはなぜだろう。はたして、経済活動と感染防止対策の両立というような、取ってつけた理由だけだろうか。

一般的に考えたとき、「緊急事態」宣言の発出は政府による強権発動の一形態であり、ファシズムに通じる危険をはらんでいる。だが、コロナ禍でひとつわかったことがある。それは、緊急事態の概念そのものが変質しているということだ。わたしには、

2020.12.3

コロナ禍にもかかわらず、経済活動が変わらずに回り、オリンピックがあたりまえのように開かれる状態の方が、一種のファシズムのように思えてならない。それは、人々の行動をコロナ禍以前よりもいっそう画一化し、一律に制限する。「Go To キャンペーン」の号令（命令形）などは、その典型だ——もしや、これが「令和」ということなのだろうか。ならば、それこそがファシズムではないのか。

反対に、緊急事態であることを公認することは、そうした新たなファシズムの形態に亀裂を入れ、ありのままの現実を露呈させる恐れをはらんでいる。言い換えれば、政府は国家がいま緊急事態下にあることを認めたくないのだ。おそらく、本当に切羽詰まるまで緊急事態の発出は回避されるだろう。それは「経済を回す」というような表面的な口実とは根本的に異なる。順調な統治形態の根本からの変更を意味するからだ。

フランスの思想家ギー・ドゥボールは、そのような統治の形態を「スペクタクルの社会」と呼んだ。スペクタクルとは訳するのが難しい言葉だが、わかりやすくいえば、ほかでもないオリンピックのような巨大なイベントが社会を束ねる（ファシズムのファッショとはもともと束ねることを意味する）状態を指す。ドゥボールは、そうしたスペクタクルが人々の本来の生を抑圧していると考え、それを打破するものとしてシチュエーション（状況）を提示した。この着想が、シチュアシオニスト・インターナショナルという20世紀のストリートを主戦場とするアートの運動を下支えした。

もしそうなら、緊急事態とは、スペクタクルの順調な継続を困難にする巨大なシチュエーションの一種と考えられないか。ドゥボールは、美術館での展覧会もスペクタクルの一種と捉えていた。とすれば、緊急事態下で、経済や娯楽と同様に、アートの活動も失速すると考えるのは、いささか性急な判断かもしれない。そもそも、アートはスポーツや旅行のようなスペクタクルを生み出すものではない。そうした日常の根底を問い、誰も疑おうとしない常識を見つめ直し、個人個人をもうひとつの見えていなかった現実へと導くものだ。

アートにいま本当の意味で求められているのは、スペクタクルを継続するための公的な助成などだけではなく、コロナ禍での新たなファシズムに対抗する新しい概念として、緊急事態《シチュエーション》を再編成する思索と行動なのではないだろうか。

季節感を感じない一年だった

2020年12月17日

いよいよ2020年、令和2年も年の瀬が迫ってきた。思えば、なんという一年だったのだろう。ふだんであればいま頃は、年末に溜まった仕事に追われながらも、忘年会やクリスマス、そのあとの大晦日から元旦に至る一年でも特別な時の経過を間近に控え、誰もが心浮き立つ。帰省で懐かしい顔と出会うのを楽しみにしたり、国内外の遠出で一年の疲れを癒やそうと指折り待つ者も多かったはずだ。

ところが、今年は新型コロナウイルス感染症の拡大で、そのいずれもがうまくいかない。感染の拡大防止に最大限に注意を払っても、完全に不安が払拭されるわけではない。マスク越しの会話は表情の喜怒哀楽を遮るし、遠隔通信を使っても、届くのは結局モニターの中の音と画像だけだ。

こうした年末年始を、わたしたちはこれまで経験したことがない。暦である以上、新年はパンデミックであろうが無関係に訪れるが、日本人が新年を迎えるのは、単に年の蓄積にとどまらない。そこには禊《みそぎ》——一年の穢れを水に流し心身を清めて再生する——の側面が強い。そのような心理がうまくいかない場合、時はうまく分節化されず、わたしたちの心に淀みを残す。今年はわたしの故郷の秩父でも、一年に一度の例大祭が大幅に縮小された。この祭りを生きがいに幼い頃から一年を過ごす者も少なくない。かれらの心にいま、いったいなにが起きているだろうか。

こうしたことは、震災や豪雨で家を失うような経験と比べれば、「ただちに影響はない」。だが、響きなき黒い影は、わたしたちのまわりに着々と忍び寄っているように思えてならない。

今年は、成功者の象徴のような芸能人の自殺が相次ぎ衝撃を与えたが、著名人だけではない。警視庁のまとめでは、２０１０年から19年まで10年連続で減少していた自殺者が、11月には前年の同月比で11・３％も増えている。コロナ禍で生活や経営などに行き詰まるなど具体的なきっかけがあるものばかりではないだろう。一見してはふつうに暮らしていても、時が分節化されない心の淀みが、どこかで関係していないだろうか。

実際、今年は四季に象徴される季節感をほとんど感じなかった。その代わり、一人ひとりの行動や感情を左右したのは感染者数の推移であり、予測ができない周期的な

2020.12.17

波である。春夏秋冬に代わって、第2波、第3波という言葉を頻繁に聞くようになった。が、もとよりそこに情緒や美意識は備わっていない。情緒や美意識を欠いた時の経過は、ただ刻まれていくだけで、しかももとのような時が取り戻せる目処は見えていない。

前にこの週報で、今後は夏が感染拡大前の最後の季節として特別な意味を持つようになるのではないか、と書いた。だが、そこから一歩進んで、統計的に感染者数の推移の傾向が数値化されれば、一年のなかで自粛期間が固定化され、季節や行事に代わってわたしたちの生活を支配、制御するようになるかもしれない。四季が消える——そんな砂を嚙むような時の経過に、はたしてわたしたちは長期にわたり耐えられるだろうか。

こうした傾向は、年を越すともっとはっきりしてくるだろう。表現において、リモートの可能性を積極的に追求するのはよい。だが、内向と心理の抑うつ的な沈降をどう表現に変えることができるか、アートにとっても、かつてない大きな試練となるはずだ。

二〇二二年

ウェルズの「火星人」は人類のことだったかもしれない

2021年1月14日

本週報の昨年最後の文を書いたのは12月の中旬だが、当時はまだ、それから1カ月を待たずに東京を中心に感染者が爆発的に増え、首都圏などに緊急事態宣言が発出されるとは、まったく考えていなかった。わたしは東京に住んでいるけれども、クリスマスを控えて街は混み合い、飲食はどこもにぎやかで、食事の直前までマスクをしていることを除けば、率直に言ってあまり代わり映えしない年の瀬だったように思う。

衝撃は大みそかにやってきた。一日に記録した東京での新規感染者数が一気に1300人を超えたのだ。その大半が感染経路不明で、もはや市中感染は明らかだった。年始からの病床の逼迫も避けられない。感染力が強いウイルスの変異も世界各地で確認されている。もはや、いつ誰が発症してもまったく不思議ではない。前日までとは打って変わり新しい年を迎える気持ちに陰りが差した。

改めて思うのは、ウイルスという存在のわけのわからなさだ。生物でもないのに増殖するのは、それが種の保存でないのだとしたら、いったいなんのためなのだろう。いや、目的という人間的な概念で捉えるのが、そもそもの間違いかもしれない。文明や歴史でなく、地球次元の長い時の経過で考えれば、人間が主《あるじ》のように振る舞っている時期はほんの一時のことで、事実、恐竜は滅んでいる。人類にそれが起こらない保証はない。

知性にとってのこうした未知の領域を想像力で補ってきたのは、文学というよりSF映画の世界だろう。正月の短い休みにスピルバーグ監督の「宇宙戦争」を観た。2005年の映画だが、もとは19世紀末に発表されたH・G・ウェルズによるSFで、恐るべき兵器で突如の殲滅戦を仕掛けてきた火星人に対し、人類はまったくの無力にすぎない。1938年にオーソン・ウェルズがラジオドラマとしてプロデュースした際には、全米でパニックが起きたと長くされていた。

もっとも、翌39年に第二次世界大戦が勃発したことを思うと、その心理には宇宙戦争というより具体的なナチスの脅威があったかもしれない。未知の兵器を開発し、第三帝国による人類の支配を企てる点でも「宇宙戦争」との接点があった。実際、スピルバーグの映画でも、ホロコーストを思わせる場面が随所に盛り込まれている。

2021.1.14

だが、予想不可能な変異を繰り返し、地球の全域で猛威を振るう新型コロナウイルス感染症によるパンデミック下でこの映画を観ると、別の観点が見えてくる。原作で火星人を退治するのは文明の利器としての武力ではなく、人類と違い火星人が免疫を持たなかったため避け難く致死をもたらした風邪によるもので、つまりは目に見えない病原体が人類を救ったのだ。

地球という生態系のまさしく盲点をつくウェルズならではの設定だが、現況下では科学技術に頼り切り、人類を一方的に支配しようとした火星人の方が人類に見えてくる。事実、人類はこのところ新しい技術を拠りどころに文明を加速化し、地球を隅々まで切り拓いてきた。多くの動物が住処を失い、森が焼き払われる代償に、人類はかつてない利便性を得た。その様は、まさに地球の主のようだ。

だがいま、それにより姿をあらわした未知のウイルスによる「風邪」には、まったくの無力だ。ウェルズの「火星人」は、もしかすると人類のことだったのではなかろうか。

すべてが異例の緊急事態宣言下の展覧会

２０２１年１月28日

　ここ数年にわたって私自身が力を注ぎ、多くの困難を乗り越えながら企画・準備してきた展覧会が、直前に各地で発出された緊急事態宣言下での、まさかの開幕となった。昨年末から東京を中心に急激、かつ爆発的な様相となった新型コロナウイルス感染症の拡大の余波である。残念とか痛恨とかありきたりなことを言う前に、こんなことは前代未聞だろう。というのも、昨年春の第一次緊急事態宣言の際には美術館も一斉に閉まったからで、その後、美術館での鑑賞リスクが比較的低いことがわかったことで、今回はなんとか開催に漕ぎ着けることができた。だが、緊急事態宣言下で展覧会が開幕するという事態が極めて異例なのは、言うまでもない。いったい、これはめでたいことなのかどうか。それもよくわからない。

　もっとも、不幸中の幸いがなかったわけではない。会場となった京都市京セラ美術館は、大規模なリニューアルのうえ昨年、予定どおりなら東京五輪の年となり、真新

2021.1.28

しいしつらえで世界中から多くの観光客を迎えてにぎわうはずだった。ところが、柿《こけら》落としの企画展は内覧会だけ大幅に縮小して開催したものの、翌日から臨時休館となり、当初その後に予定されていたふたつの展覧会も無期限で延期された。そのため思いがけず年間計画に余裕ができ、昨年の暮れのうちにほとんどの準備を済ませることができたのだ。もしこれが緊急事態宣言下の設営となったら、アーティストはもちろん、設営業者やスタッフの移動や作業に大幅な支障が出ていたはずだ。どうなっていたかは、まったくわからない。

もっとも、開くには開いたものの、本展「平成美術　うたかたと瓦礫《デブリ》　1989－2019」のセレモニーはすべて中止となり、内覧会では東京などから移動する多くの参加アーティストを招くことができなくなった。わたしはと言えば、やはり感染者が増え続ける東京から向かうため、念のためPCR検査を受けての監修仕事となった。まさか、到着後のホテルで検査のための唾液を採取することから展示準備が始まるとは、かつてなら夢にだに思わなかった。

併せて、平成期の日本の現代美術を回顧するという、本来ならできる限り多くの人に来場してほしい機会にもかかわらず、府境をまたぐ移動には十分留意するよう注意が喚起された。京都府民限定の展覧会というわけではないが、平成美術の総括を府民だけで行うわけにもいくまい。だが、緊急事態宣言そのものがいつまで続くのかも、その基準がなんなのかも、現時点ではよくわかっていない。このように、なにからなにまで異例なのが、緊急事態宣言下での展覧会なのだ。

わたしごとになるが、これまでも企画した展覧会の会期中に阪神・淡路大震災と地下鉄サリン事件が起こり、開催直前に付近の自治体に所在する核燃料製造工場内でにわかに核分裂反応が起こる臨界事故があり、一時は開幕が危ぶまれることがあった。けれども、今回は世界規模であり、スケールが桁違いである。そのうえでなお、平成の美術の回顧が令和のコロナ禍に直撃されるというのは、いったいどのようなことなのだろう。会場内は平成で満ちあふれていても、出口から一歩外に出ればそこは令和のパンデミック禍だ。両者を遮るのは、いったいなんなのか。そのことの意味について考えている。

仮想空間は以前にも増して「密」になっている

2021年2月11日

前回に触れた「平成美術　うたかたと瓦礫《デブリ》」展は、依然として緊急事態宣言下で開催されている。当初、2月7日までとされていた宣言の期間が1カ月延長されたためだ。昨年の春に出された最初の宣言のときのように展示自体が閉まることはないが、引き続き注意深く感染拡大防止対策を施したうえで「密」を避けなければならないのは言うまでもない。だが、このような事態のもとで展示を見ると、平成の美術が非常に密な環境のなかで営まれていたことが、改めて見えてくる。

それは本展が、平成の美術のうちでもアーティストらによる集合的な活動に焦点を当てているからだけではない。平成という時代そのものが、ヒトやモノを可能な限り障壁なく、同時に、なおかつ大量に移動、集合、動員させることを活力にしていたからにほかならない。それがグローバリズムということでもあるなら、そのようななかで営まれたアートもまた、時代の強みを活かした活動ほど、どこかで密な環境を呼び寄せていたのだ。ビエンナーレやトリエンナーレ、芸術祭やアートフェアが拡大の一途を辿り、単独の書き手による批評の力が後退したことにも、それは影を落としている。

けれども他方で、ネットのなかの仮想空間は以前にも増して「密」になっているように思われる。わたしは昨年、現代美術や写真界でよく知られた公募展のふたつに審査員として関わったが、コロナ禍で当初、心配されていた応募者数の減少への懸念は、蓋を開けてすぐに払拭された。むしろ増えていたのだ。後者に至っては、30年に及ぶ継続期間のなかで過去最高の数だった。

いったい、なにが起きているのか。ネットを通じて応募することの手軽さだろうか。外出自粛期間に構想や制作のための時間が存外に取れたからだろうか。はたまた人に会ったり遠出したりすることが限られていることへの不満の捌け口だろうか。はっきりしたことはわからない。けれども、これがわたしの関わったような公募展に限ったことでないのは明らかだ。

たとえば、講演会だ。現実のホールなどに人を集め講演をすることは、その会場の器としての物理的な定員に制約されている。どんな巨大なスタジアムにも、上限というものが存在する。他方、ネットのなかに原則定員はない。物理的な空間でないから

2021.2.11

てくる。するとこれまでの催しの規模を超えて視聴のために人が集まるということが出てくる。感染拡大防止を大義とするならなおさらだ。昨年の末に上海で開幕した国際的なビエンナーレ展では、オープニングを飾る配信型の講演に、実に1200万人に及ぶ視聴者数がはじき出されたという。しかも地球のどこにいても参加が可能なのだ。密というより「メガ」と呼ぶべきこれらの仮想空間内の爆発的な現象は、これからわたしたちをいったいどこへと連れて行くのだろうか。

「ぼんやりとした不安」が持続していく

2021年2月25日

新型コロナウイルス感染症へのワクチン接種が、いよいよ日本でも始まった。当面は医療従事者、ついで高齢者、基礎疾患を持つ者の順に進んでいくようだが、ここまでの規模のワクチン接種を国民に対して集中的に行うのは過去に例がなく、順調に進んだとしても相当の時間がかかることは避けられまい。まったくの未知なウイルスに対し、これほど迅速にワクチン開発へ至ったのは驚くべきことで、人類にとって希望の光というしかない。が、まだまだ不安の種は尽きない。ウイルスはこの間もずっと変異を繰り返しているし、いつなんどきまた別のウイルス性感染症が突如、顔を出さないとも限らない。実際、今週になってロシアの衛生局が、高病原性の鳥インフルエンザウイルス「H5N8型」のトリからヒトへの感染が世界で初めて確認されたと発表したばかりだ。

このようなことを考えたとき、仮にワクチンの接種が広く行き届き、その効果が一定程度確認されるようになったとしても、わたしたちの生活習慣が完全に元に戻るのは難しいのではないか。観光や飲食への集中的な助成によって、一時的な活発化は見られるかもしれない。けれども、店舗の時短営業や公共交通機関の最終時刻の繰り上げによって、わたしたちの「ナイトライフ」は足もとから様変わりをしてしまったし、大人数による宴会や公演、そして移動そのものの感染リスクが頭から完全に払拭されることはもうないだろう。マスクの着用は季節を問わず常態化されるだろうし、人と人との距離を空けることもあたりまえのことになっていくはずだ。

こうしてやがて取り戻されるであろう日常は、それでもなお一見しては「日常」そのものに感じられるかもしれない。戦争や震災のようにただちに街が破壊されたり、すぐに逃げなければ命を落とす性質のものではないからだ。だが、コロナ禍以後の日常は、それ以前の日常ととてもよく似ているけれども、そうであるがゆえに、その微細な違いが、完全には剝がし難くつねに心理につきまとうものになるのではないか。

それを端的に言えば「ぼんやりした不安」(芥川龍之介)の持続ということになるだろう。言い換えれば、感染リスクを抱いた日常は、かつて喧伝された、社会学者の宮台真司がオウム真理教事件のあとに提言した「終わりなき日常」とは大きく異なっている。終わりなき日常とは、戦争や震災が持つ劇的な性質ゆえのカタルシスを欲望する破滅的な心理への、それこそワクチンとして機能した。ゆえに終わりなき日常とは、大きな物語などに頼らずとも、よくよく目を凝らせば、かけがえのない細部をたたえており、そちらへと目を向けることで救われるための視点の移動でもあったのだ。アートの世界で一時期唱えられた、かつての大作志向とは対照的な「マイクロポップ」も、その変奏であったと言えるだろう。

ところが、コロナ禍以後の日常は、むしろまったく逆の性質を持っている。つまり、目を凝らせば凝らすほど、暮らしの細部が感染症のリスクと隣り合わせであることを、わたしたちはもう知ってしまった。それはかけがえのない細部というよりも、あらゆるところに「ぼんやりした不安」を浮かび上がらせる。そしてこのぼんやりした不安には、まさしく終わりがない。芥川を自死に追いやったのも、切迫的な恐怖というより、このぼんやりとした性質の方だった。そのことにわたしたちは、はたしてこれからずっと耐えられるだろうか。

10年目の3月11日はふたつの意味を持つ

2021年3月11日

本日、3月11日は東日本大震災からちょうど10年の節目にあたる。3月に入ってから例年にも増してあの震災を振り返る企画を各種メディアで目にしたのは、そのためだった。とはいえ、あれほどの規模となる未曾有の出来事に対して、10年というのは地質学的に言えばほんの一瞬にも満たない間隔で、事実、先月の13日に福島県沖で起き、内陸部で震度6強の大きな揺れを観測したマグニチュード7・3の地震は、気象庁の発表によると東日本大震災を引き起こした東北地方太平洋沖地震（マグニチュード9・0）が残した余震なのだという。

これには少なからず驚かされた。10年を振り返る準備がようやくなされようとする最中、いきなりそうした時の経過を無化する「余震」が起きたことになる。しかも同規模の余震は今後も十分に警戒する必要があるらしい。人の生きる時間と地球が宿す時間とのギャップを、有無を言わせず突きつけられる出来事であった。依然、わたしたちは時の経過とは無縁に、いつ何時起きるかわからない余震に対する「事前」にいるのだ。防災や減災はむろん大事だが、そうした既存の言葉は、潜伏する終わりのない事前性をどこかでぼかしてしまう気がする。

ところで3月11日は、偶然にもＷＨＯが新型コロナウイルス感染の世界的大流行＝パンデミックを宣言してからちょうど1年の日にもあたっている。わたしたちはいまだ3・11の余震がはびこる日々を、密を避け、手指を消毒し、感染症拡大防止のためのマスク姿で迎えることになったのだ。3月11日がこのようなふたつの意味を持つ日付であることについて、昨年のパンデミック宣言の直後に聞いた覚えがない。当時は日本全国に第一次緊急事態宣言が発出される前であったし、まだどこか他人ごと、他所ごととして捉えていたのかもしれない。

けれどもそれから1年が経ったいま、街行く人でマスクをつけていない人を見つけるのは難しい。東日本大震災は直後から福島第一原子力発電所の大規模な放射能漏れ事故を引き起こしたから、当時もマスクを欠かさず着用する人は東京でも少なからずいた。確かに放射能もウイルスも目に見えない。身体への影響を未然に防ぐにはマスクを常時着用するに越したことはない。しかし、マスクをめぐる機能はいま、その表と裏（放射性物質を吸い込まない／新型ウイルスを吐き出さない）で大きく変わってしまった。世界はわずか1年のあいだで決定的に違う局面に入ってしまったのだ。

余震と言えば、新型コロナウイルス感染症の世界的な大流行を、平成の時代に急激に加速したグローバリズムの「余震」として位置づけられるかもしれない。新型ウイルスによるあっという間の人類=地球規模の感染拡大は、昭和の時代では想像もできなかったヒトやモノの大規模かつカジュアルな移動に多くを負っていた。実際、WHOは2009年に発生した新型インフルエンザに対して、すでにパンデミックという言葉を使っている。今回のパンデミックも、そのようなグローバリズムが続く限り、いつどこで起きてもまったく不思議ではなかった。その意味では、グローバリズムの余波であり、余震と呼ぶことができる。だが本当の問題は、地震にせよ感染症にせよ、つねに「事前」に置かれたわたしたちにとっての「本震」がいったいなんなのか、もうわからなくなってしまっていることかもしれない。

ウイルスは超資本主義的存在だ

2021年3月25日

3月21日、東京でもようやく緊急事態宣言が解除された。時期尚早という声も聞くが、都心での人出はすでに宣言下とは思えないにぎわいで、気温の上昇とともに日に日に増していた。いろいろな意味でもう限界だった。解除のうえいっそうの対策強化をするしかあるまい。

むろん不安材料は尽きない。ワクチンの接種もまだまだ具体的な日程が見えない。BBCの報道によると英国では成人のおよそ半数がすでに1回目の接種を終えたという。海外へのバカンス旅行、歳や距離が離れた家族と直《じか》に集う道も開けつつある。日本ではいつのことになるのだろう。だが、もっとも懸念されるのはウイルスの変異である。

聞くところによると、新型コロナウイルスは週の単位で変異を繰り返しているという。それもそうだろう。感染者が人類規模でいるのだから、その複製・増殖はこれま

2021.3.25

で地球上でいったい何度繰り返されたのか。想像すると気が遠くなりそうだ。変異は遺伝子コピーのちょっとしたエラーから生まれる。のべつまくなしに起きていてもなんの不思議もない。

もうだいぶ前から、この場を通じて新型コロナウイルス感染症のパンデミックとグローバル資本主義とのつながりについて書いてきた。それは主に無際限な開発による生態系の破壊や人類にとって未知の環境の露出、さらにそれらと新たに接触するヒトの増加、大規模な移動、そして加速化についてのものだった。だが、新型コロナウイルスとグローバル資本主義とは、別の面でも酷似した側面を持つ。それが先に触れたウイルスの無際限な変異である。

資本主義は絶え間ない新たな商品価値の創出をエンジンとする。結果的になにが資本家に莫大な利益をもたらすかは、前もって計画することができないからだ。ゆえに、資本主義はつねに市場に対し大量かつ多品種の商品を供給し続けなければならない。そのうちのひとつでも当たれば薄利多売により、莫大な富がもたらされる。似たような商品でも、手を替え品を替え絶えずマイナーチェンジし続けなければならない理由はそこにある。

言い換えれば、資本主義体制下では商品は際限なく変異し続けなければならない。

長期にわたり売れ続けるロングセラーは確実な利益を生むが、それ以上の利益を生む商品が出てこなければ市場は拡大しない。市場の拡大が資本主義の命題なのであれば、当面は不要であっても、商品は些細な細部で変異を繰り返し、何度でも市場に再投入される。いずれそのひとつが大ヒットを生むかもしれないからだ。

これはウイルスの挙動とたいへんよく似ている。ウイルスにとっても「大ヒット」はわずかでよい。だが、それを生むためには無限回ともいえる無駄な変異が必要で、それは無駄が無駄でなくなるほんのわずかなヒットのために投機的に賭けられている。決定的な違いは、ウイルスには資本が不要だということだ。ウイルスはどんなに変異を繰り返しても損失はなにもない。その点で超資本主義的なのだ。ゆえに資本主義をどんなに加速させてもウイルスの超資本主義を凌駕することは原理的に言ってできない。資本主義が現在の人類を駆動する成長の拠り所だとしたら、ウイルスはそれを乗り越え、最終的な地球の勝利者になるかもしれない。新型コロナウイルスの変異に大ヒットが出ないことを心より祈るしかない。

ウイルスを「株」と呼ぶのは偶然か

2021年4月8日

新年早々に発出された緊急事態宣言の全面解除後、今月に入り、一日あたりの新規感染者数で大阪が東京を上回るなど、第4波と思しき感染の再拡大が見られている。前にも書いたが、一年の推移が情緒豊かな春夏秋冬ではなく、増減する感染者数の波で測られるような心理的圧迫がもう、かれこれ一年にわたって続いている。例年より開花の早かった桜も、ゆっくり愛《め》でる間もなく、気がつけばマスク越しにすっかり散ってしまった。

それに加え、全国の各所で新型コロナウイルスの変異株が次々に検出されている。新型コロナウイルス感染症をめぐる局面は、ここに来て、単一のウイルスの感染拡大から、急激に未知の変異をめぐる挙動と再拡大への不安に移ったと言えるだろう。これについては前回にも触れたとおり、変異の「大ヒット」が出ないことを祈るばかりである。

それにしても、手を替え品を替え新たな変異を繰り出す新型コロナウイルスのことを、変異株とはよく言ったものだ。グローバル資本主義とパンデミックとの類縁性については、これまで書いてきたとおりだが、ウイルスを「株」と呼ぶこと自体、なにかたちの悪い冗談のようで、同時に両者の通底をひそかに暗示しているかのようではないか。

このことひとつとっても改めて感じるのは、わたしたちは新型コロナウイルスについて、そもそも言葉のレベルで扱いかねているのではないか。パンデミックが宣言された頃、この未知のウイルスの挙動と対策について、ネットのなかで多種多様な情報が膨大に拡散され、その弊害について「インフォデミック（偽情報の爆発的拡大）」と呼ばれる現象が起きた。だが思うのは、インフォデミックなどという聴き慣れぬ言葉がにわかに登場して事態を収めようとすること自体が、あえて言えばインフォデミックの顕著なあらわれなのではないか。

振り返れば、この疫病は当初「新型肺炎」と端的に呼ばれていた。それが正確さを期して「新型コロナウイルス感染症」と呼ばれるようになった。欧米で一般的な「COVID‐19」を好んで使う向きもある。つまり、これだけの出来事にもかかわらず、いまだに名称が統一されていない。加えて、ここにきて新型コロナの変異株な

2021.4.8

どという一瞬頭をひねる呼び名が使われ始めた。その変異も英国型、南アフリカ型、ブラジル型など増える一方である。感染拡大防止対策も、「緊急事態宣言」が解除されたと思えば「まん延防止等重点措置」が適用される。そういえば「東京アラート」などというのもあった。ふたたび経済に倣えば、言葉のインフレが起きているのだ。

ここからわたしが想起するのは、東日本大震災でひどく放射能汚染された地域が、当初「警戒区域」「計画的避難区域」「緊急時避難準備区域」に分けられ、その後「帰還困難区域」「居住制限区域」「避難指示解除準備区域」へと推移し、現在では帰還困難区域の中に「特定復興再生拠点区域」が生まれているような、直感的な理解が極めて困難な言葉の使い方だ。これらはインフォデミックとは異なり、いずれも国が公式に定義したものだ。が、正確さを期すあまり、結果的に概念上の混乱に陥っていはしないか。

原発事故のときのベント、シーベルト、除染などがそうであったように、新型コロナのパンデミックでも、クラスター、ＰＣＲ検査、３密などの新奇な言葉が、まるでウイルスのように飛び交い、変異を繰り返し、理解を攪乱し、蔓延し続けている。

「距離」をめぐる態度の変更を迫られている

2021年4月22日

　話題の矛先が変わるようだが、先日、家族が都内の病院で手術を受けた。急ぐ手術ではなかったので、昨年春先のコロナ患者の急増で、その病院も都の要請で受け入れに協力をすることとなり、身内の手術は不要不急と見做されたのか、当面延期となった。報道などで聞いていたものの、なるほどこうして医療体制に具体的な影響が出てくるのかと、目の当たりにした気がした。しかし、できるだけ早く手術を済ませたいというのは、当人も家族も同じ思いだった。

　それが先日、東京でも緊急事態宣言が解除されたのを機に、やはりこの間に行った方がよいだろう、次に感染が拡大したらまたいつになるかわからない（先頃、都内にもまん延防止等重点措置が出され、実際にそうなりつつあるわけだが）、ということになり、予定どおり施術することになった。急ぐ手術でないと書いたが、特に難易度が高いわけではなくても、終わってみれば4時間半を超す長丁場となった。問題なく終えて、

2021.4.22

術後も良好でほっと胸を撫で下ろしている。

だが、コロナ禍での手術が通常とは大きく異なることは、立ち会って初めて身に染みた。入院までの手続きは、時節柄PCR検査で陰性であることが必要なのは当然として、その後は、お見舞いのために部屋を訪ねることも、差し入れをすることも、肝心の手術の送り出しの際に手を握ってあげることもできない。言うまでもなく感染リスクがあるからだ。せめて笑顔で見守ろうにも、顔はマスクで覆われている。少し離れた場所から見送るだけである。これは手術を終えたあとも同様で、今度ばかりはLINEのような通信手段があって本当に助かったと実感した。

わたしの身内の場合は深刻な入院ではなかったから、さしたることもなかったが、それでもこんな状態、こういう心理になるのだと自分ごととしてわかった。緊急の入院でなくてもこうなのだ。重篤なコロナ発症のような場合、ましてや不幸にも亡くなってしまうようなことがあったら、心の張り裂ける思いはいかほどのことだろう。

この週報では、長く感染症と文化のことについて、歴史的にも批評的にもつねに俯瞰しながら一定の距離をとって書いてきた。だが、当事者とのあいだに感染防止対策のための物理的な「距離」をとらなければならない現在の状況は、そうした立ち位置からだけでは理解できないものがたくさんある。

おそらくそれは、病や死、そしてその人たちとともにあること、さらには欠くことのできない弔いに至るまで、人が人である限り避けられない行いや節目についての感覚を大きく疎外し、変更を迫る。

人は病や死に直面したとき、できうる限りその間近に居て、共有できない宿命をなんとかして共にしようとする。むろん、どんなに身を寄せても埋め合わせできない場合は多々あるだろう。だが、コロナ禍では、近づこうとすればするほど、両者を隔てるためのさまざまな対策、工夫の方が前面化する。

だが、煎じ詰めれば、病や生と死との距離をいかに埋めるかこそが、いにしえに宗教や芸術が発生した源泉なのではなかったか。もしそうなら、グローバル時代に活力を得て躍進し、いまいる場所からできるだけ遠く遠方に効率よく移動してきた美術やアートは、その根本で「距離」をめぐる大きな態度の変更を迫られている。

「空気」の争奪戦が繰り広げられている

2021年5月13日

東京と大阪、京都、兵庫に5月11日まで出されていた緊急事態宣言の月末までの延長が決まり、新たにここに愛知県、福岡県も加わった。先の4都府県では、年初の2度目の緊急事態宣言でも閉まらなかった美術館が、去年の春に続きふたたび閉まっている。

もともと美術館は劇場やコンサートホール、映画館のような座席があるわけではなく、注意深く距離を空ければ、人と人との接触機会はほとんどない。それでも念を入れて閉めるのは、結局、空間を共有しているからにほかならない。空間を共有しているということはつまり、煎じ詰めれば同じ空気を吸っている、ということに行きつく。

そうして考えてみたとき、コロナ禍とは言い換えれば空気の汚染ということになる。呼吸のため肺に取り入れる空気に有毒な成分《ウィルス》が含まれているのだから、大気汚染と言ってもいいかもしれない。

もちろん、一般に大気汚染と言うときには、工場からの煤煙などの人為的な公害のたぐいを指す。コロナ禍を公害と呼ぶのは馴染まないし、公害という言葉自体がいまではもうあまり聞かれない。しかし、もしコロナ禍がグローバル化した世界での乱開発に原因があるなら、あえて「公害」と呼んでも差し支えないのではないか。人が空気を共有することの困難が生まれつつあるのだ。

そんなことを考えたのは、変異ウイルスによる感染爆発が破局的な状況をもたらしているインドで、酸素ボンベの不足による「空気」の争奪戦が繰り広げられている様子を見たからだ。本来、水と並んで（水以上に）空気は、人が生命を維持するための死活線にあり、値のつかない平等な付与物だった。ところがいつの頃からだろう。水はペットボトルに詰められ売り買いされるものとなった。コーラやジュースしか売っていなかった子どもの頃の自分が聞いたら、きっと嘘だと思うだろう。資本主義は水さえ商品に変えてしまった。というより、水くらいしか売るものがなくなった、と言ってもいい。

ならば、いつ空気がそうなってもおかしくなかった。コロナ禍でのインドの事例や、医療現場での人工呼吸器の逼迫は、とうとう空気にさえ値段がつき、配給に深刻な欠乏が生じる事態が生まれたことを意味する。比較的安全とされた美術館でさえ閉まる

2021.5.13

のも、詰まるところは空気の希少性の問題なのだ。

4月の末に東京、北千住のBUoY《ブイ》で飴屋法水、山川冬樹の2人によって行われた演劇的コラボレーション「キス」は、コロナ禍で有限となってしまった空気と呼吸の争奪について、生身の身体の接触を通じ、正面から扱うものだった。それは具体的にはタイトルの「キス」に象徴される。

欧米で当初、感染の拡大につながったとされるキスの習慣は、もとは人間の愛情の表現だ。だが、同時にキスはたがいの呼吸を一時止めて息を求め合う空気の「争奪」でもある。大袈裟に言えば命を懸けた愛情表現であり、だからこそ揺るがない「信頼」を前提とする。キスという行為が抱えるこの矛盾を、2人は大気汚染から息を守るための防護マスクをたがいにつなげて着用し、呼吸困難の一歩手前で共有する。そして最後にはキスそのものという直接的な行為へと上り詰めるのだ。

そのとき、はたしてキスは愛情の表現だろうか。それとも命の奪い合いだろうか。

シャーレの中の闘技場

２０２１年５月27日

先週末（5月21日）、国際オリンピック委員会（ＩＯＣ）のジョン・コーツ調整委員長が記者会見で発した言葉には一瞬、耳を疑った。開幕が2カ月後に迫った東京五輪の時期に、新型コロナウイルス感染症拡大防止のための緊急事態宣言が日本国内で発令されていたとしても、大会を予定どおり開催する姿勢を示したからだ。

国内では、変異したコロナウイルスの蔓延に依然として収束の兆しがなく、23日からは医療体制が逼迫する沖縄県に新たに宣言が発出された。感染力を増した変異ウイルスは、次第に英国株からさらに強力とされるインド株の脅威へと置き換わりつつあり、今月末を期限とする東京や大阪をはじめとする宣言にもすでに延長の声が聞かれている。そんななか、ワクチンの接種はいまだ世代を問わず全国津々浦々に行き届く体制には程遠い。

それでも五輪を開催するというのは、いったいどういうことなのだろうか。まるで

2021.5.27

悪夢的な想定のSF世界に紛れ込んでしまったかのような気分だ。

悪夢と言えば、かつて1940年に予定されていた東京五輪は、日中戦争などの国際情勢の急激な悪化を背景に日本政府の手で返上され、開催されなかった。返上の理由には、戦時体制（緊急事態？）を優先する軍部による物資や人員の優先的な確保があったというから、緊急事態下での医療崩壊の危機よりも五輪の祭典を優先する現在の政府の方が、ある意味、不合理と考えられなくもない。

前回、子どもの頃の自分に未来には水や空気を売る世界が訪れると説いても信じなかっただろうということを書いた。同様に、未知のウイルスによる（当時の言い方では）「伝染病」の蔓延下でも五輪を開く世界が来るかもしれないと話しても、そんなバカなと答えただろう。はたして、わたしたちは不合理の世界に突き進んでいるのだろうか。しかし、だとしたらいったいなんのために？

不合理と言えば、アートの世界は必ずしも合理性にもとづくものではない。合理的な思考だけではたどり着くことができない想像力によって、現実を相対化し、その先の世界を垣間見せるのがアートの本領だからだ。

それで言うと、やはり前回にこの週報で取り上げたアーティスト、飴屋法水が1996年に第5回メキシコ国際パフォーマンス・フェスティバルで発表した「丸いジャングル」のことを思い出さずにはいられない。

飴屋は、現地で街行く人や来場者に声をかけ、手の指や咳から採取した体内に潜むさまざまな雑菌を丸いシャーレで混ぜ合わせることで「闘わ」せ、その力関係を弱肉強食の「ジャングル」に喩えて見せた。言ってみれば、菌同士による「格闘技」である。たちの悪い比喩だろうか。いや、いま日本でコロナウイルスの従来型が英国株によってすっかり凌駕されてしまったように、それは自然界で実際に起こっていることなのだ。

パンデミック下でなお予定どおり五輪が開かれるなら、日本には世界各地から数万人の関係者が訪れるという。十分な対策がされると言われても、大規模な催しに想定外はつきものだ。人類の祭典、地球規模の五輪ならなおさらのことだろう。

かつて飴屋がアートという形式を通じて示した小さな「丸いジャングル」が、21世紀となり令和を迎えた極東の島国、日本での五輪で、変異ウイルスの「巨大なジャングル」にならないことを切に願う。

芸術祭のリモート化は世代を分断してしまいかねない

2021年6月10日

前回、パンデミック下での「TOKYO2020」（東京五輪）の開催について書いた。が、アートの世界に引き寄せれば、この20年にわたりある意味、美術館以上に国内の現代美術を牽引し、積極的に海外に発信してきた「芸術祭」も、その開催の是非が揺れに揺れている。

主に地方自治体が主催し、辺鄙な地域ならではの都市とは異質な文化的特性を最大限に活かし、高齢者が多い住民と都市圏からの来客の交流を促進し、観光やインバウンドを推進力に食や協働をキーワードに進められてきた日本の芸術祭モデルは、言ってみれば感染拡大リスクと隣り合わせなのだ。

こうした状況下、昨年の開催が予定されていた「北アルプス国際芸術祭」（長野県大町市）や「奥能登国際芸術祭」（石川県珠洲市）は1年の延期が決定された。その結果、これらに加え、今年はわが国の芸術祭の原点でもあり本丸と考えられる「大地の芸術

祭　越後妻有アートトリエンナーレ」（新潟県十日町市、津南町）や、首都圏でもやはり昨年の開催が予定されていた「房総里山芸術祭　いちはらアート×ミックス」（千葉県市原市）などが重なり、外見的には芸術祭のうえでも過去に例を見ないビッグ・イヤーとなっている。

そんななか、4月に発表された「大地の芸術祭」の延期発表は大きな衝撃を与えた。先に原点でもあり本丸と考えられると書いたとおり、この芸術祭は２０００年の初回開催を皮切りに、美術館のように限定的な立地に左右されず、ふだんはアートとまったく無縁であった地域住民や観光客を広域にわたって結びつけ、平成年間に日本におけるアートをめぐる風景を一変させる推進力となった原型と考えられるからだ。

はたして、日本の芸術祭は今後どうなっていくのだろう。来年には、わが国の芸術祭のなかでも、もっとも成功した事例と考えられ、香川県と岡山県の県境に点在する瀬戸内の離島を主な会場とする「瀬戸内国際芸術祭」が控えている。ワクチンの接種が進み、感染拡大が抑制され、かつての日常が戻ってくれば、変わらぬ以前の活況が取り戻されるのだろうか。それとも、日本の芸術祭はいま大きな転機を迎えつつあるのだろうか。

この問いに結論を出すには、まだしばらく時間がかかりそうだ。すぐに頭に浮かぶ

2021.6.10

のは、他の例に漏れず、芸術祭もまたリモート化を推し進めることだ。実際、美術館での企画展などでは、設置の難しい現代美術でも、リモートでのやりとりである程度の展示を実現することが可能であることがわかってきた。

ただし、観光や食、協働を原動力とする芸術祭となると話は違ってくる。いわゆる「Ｚｏｏｍ飲み会」が、感染リスクが高くてもあっという間に「宅飲み」や「路上飲み」に置き換えられてしまったように、単に実施することと、本質的な人の交流とのあいだには容易には埋めることができない距離がある。ましてや、地域芸術祭での主役と言って過言でない高齢の方々が、そうした情報機器の扱いにまったく慣れていないことは、現在進行中のワクチン接種の予約をめぐる混乱で想定以上の溝を明らかにしたばかりだ。

アートがつねに先端的な試みを取り入れる――あたりまえといえばまったくそのとおりだが、こと芸術祭に関してはこの考えをそのまま当てはめることはできない。それどころか、芸術祭のリモート化は、一歩間違えれば、最大の魅力であったはずの世代間交流をむしろ分断してしまいかねない。

ドメスティックな時代に入り込んでいる

2021年6月24日

東京五輪の開会式まで、いよいよ1カ月に迫った。6月20日をもって、沖縄県を除き9都道府県に出されていた緊急事態宣言は解除されたが、東京では新規感染者微増の傾向も見られる。延期の決定当初に「人類が新型コロナウイルス感染症に打ち勝った証」を掲げていたのとは程遠い状況だ。

国の内外で人の移動を可能な限り抑制するのが感染症対策の基本だとしたら、それこそ人類最大規模の国際的な祭典である五輪をコロナ禍で強行するのは、どう考えても矛盾している。平成のアートを牽引してきた国際芸術祭の苦境も、スケールこそ違えども基本は同じ理由による。

しかし、そんななか改めて考えてみれば、「国際芸術祭」とは奇妙な呼称かもしれない。もともと「祭り」はローカルなもので、文字どおり土着のものだ。人の移動も地域内に限られていた。それが「国際化」するとは、どういうことだろう。もっとも、コロナ前の観光の急激な過熱のなかで、国内の祭りはとっくに国際化していた。宿は何カ月も前からネットを通じて争奪戦になっていたし、観光客は世界の隅々から飛行機を乗り継いで集まってきた。ローカルなものがそのまま世界と接続される――それがグローバル時代の祭りの典型なのだ。基本的には国際芸術祭もこの時代の流れをくんでいる。

とはいえ、両者を接続した「グローカル」なる言葉が一時もてはやされたように、ローカルとグローバルはもとより相性がよかった。ローカルは中心に対する周縁として位置づけられる概念だから、長く中心の位置をしめた中央（東京）が世界化すれば、おのずと中心は複数化し地球全体へと拡散される。そしてグローバルはなにより、世界化した資本主義を原動力とする。市場へ投入される新奇な領域をつねに欲し、開拓し続けているのだ。ローカルであるがゆえに希少な文化資源は、そのための格好の材料と言えた。

ところがコロナ・パンデミックは、世界をローカルの集合からグローバルとは無縁なドメスティックの点在へと一瞬にして変えてしまった。ドメスティックは「国内の」などと訳されるが、いま起きていることは「都道府県」単位まで縮減され、さらに言えば感染予防のための飲食の集いが家族に限られるなど、「家庭内」にまで抑制されている。

もっとも、ドメスティックと聞いてすぐに連想するのは、「DV＝ドメスティック・バイオレンス（家庭内暴力）」の方かもしれない。事実、リモートワークや遠隔授業で家族が家にこもりがちになる傾向のなかで、DVが増えているという話はかねてから出ていた。としたら、グローバル化の極限であらわれたコロナのパンデミックと「相性がいい」のは、ローカルではなくむしろドメスティックかもしれない。コロナの時代、わたしたちはインターナショナル（国際）でもグローバル（世界）でもなく、結果としてドメスティックな時代に入り込んでいる。

それならアートにおいても、わたしたちはドメスティックな時代の条件を前提に思索し、行動する必要がある。これはグローバル時代の「国際芸術」とも「祭り」ともまったく異なる。むろん、ドメスティックには多くの影がつきまとう。DVはその最たるものだろう。その危惧がないとは言えない。それでもなお、ここへきて国内では次々とドメスティックな新しいアートの兆しが見え始めた。これはずいぶん前に触れたネットを介するリモートアートとは決定的に違っている。次回はそのことについて触れたい。

ドメスティックであることは超ドメスティックでもある

2021年7月8日

もしもコロナ・パンデミックが起こらなかったら、世界はいま頃どんなだっただろう。

少なくとも国内では、五輪は無事一年前の夏に開催され、東京を中心に全国の津々浦々で空前の熱狂を引き起こしたかもしれない。それを起爆剤に、国境を越えたかつてない規模の人の移動や物の流通、情報の共有が加速され、経済的な活況も一気に押し上げられて、グローバリズムはその頂点を迎えていたのではないだろうか。

それはアートも同様だ。多数のアーティストが世界の隅々から参加する国内の芸術祭には観光やインバウンドで人が押し寄せ、それらを掛け持ち、ほかに海外の国際現代美術展やアートフェアにいくつも参加するアーティストたちは、寸暇を惜しんで世界を飛び回っていたことだろう。もしかしたら、いまわたしたちが取り入れざるをえなくなっているオンラインとは異なる意味で、設置や交渉のリモート化が推し進められていた可能性さえある。なにせ発表機会はいくらあっても、身はひとつしかないのだ。世界の各所と同時にやりとりを進めるには、案外同じ選択肢しかなかったかもしれない。

だが、わたしたちが迎えた実情は、まったく違っていた。そんなアーティストたちの国外での活動は事実上、ことごとく実現が不可能となり、海外に在住のアーティストたちも、やむなく帰国して日本を拠点とせざるをえなくなった。とはいえ、前回までにすでに触れていたとおり、感染症対策下にあっては、国内なら自由な制作や発表ができるというわけではない。むしろ、活動は都道府県単位やより細分化した地域に制限され、あげくのはてに「家」にまで縮減される。もしもコロナ・パンデミックが起こらなかったら、と想定した冒頭の活況とは雲泥の差で、アートにとってもアーティストにとっても冬の時代と言うしかない。

だが、ここに来て新しい動きが目立ってきた。その拠点となっているのは、いずれもグローバル時代のアートを牽引してきた大規模美術館やコマーシャル・ギャラリーとは異なる、限りなくドメスティックで「家」に近い自主運営スペースだ。東京で最近、見てまわっただけでも、新宿の「WHITEHOUSE」、代々木の「TOH」、阿佐ケ谷の「TAV GALLERY」、根津の「The 5th Floor」などがすぐに思い浮

2021.7.8

かぶ。数だけではない。個々の展示の充実度、新たなアーティストの発掘、発表機会の提供、従来の美術館やギャラリーでは実現が難しい境界線上の表現への踏み込みという点でも、東京をめぐるアートの状況は、水面下ではあれ、むしろコロナ前の状況より活性化しているようにさえ感じられるのだ。

どんな背景が考えられるだろう。皮肉なことかもしれないが、本来ならグローバルな世界状況に十分適応していながら、期せずしてドメスティックな状況での活動を余儀なくされたアーティストたちが、結果的に相当数、国内に留まった。そして、その能力を家に近い形態で局所的に圧縮して発揮している、かつてない状況なのではないか。

先にドメスティックと書いたが、ならば字義どおりに受け取るわけにはいかない。物理的にはドメスティックでありながら、潜在的にグローバルな世界ネットワークとつながっており、その意味で超（ビヨンド）ドメスティックでもあるからだ。かつての単にグローバルなアートとも違っている。似たことは世界の各所で起こっている。ようやく見えてきたコロナ後（コロナ共存?）のアートの兆しかもしれない。

世界の祭典がシュリンクする

2021年7月22日

コロナ・パンデミックのもと、グローバル化の波に乗って拡大・拡張してきたアートが急激にドメスティック化し、そのことで逆説的に活況を呈し始めていることについては前回、述べた。他方、開幕までいよいよ秒読みとなった東京五輪を目前に控えた都心では、これに肩を並べるべく、過去に例を見ない規模のアート・プロジェクトが次々とお目見えしている。

先週7月17日からは、東京駅の丸の内口に建つ超高層ビル、丸ビルと新丸ビルの壁面を使って、高さ約150メートル、幅約35メートルに達する「東京大壁画」が登場した。横尾忠則、横尾美美の親子による競演で、それぞれが水と火をテーマとする。また、その前日の16日には、アートチーム「目［mé］」による、ビルにして6階〜7階分にも及ぶバルーン仕立ての巨大な顔が突如として空に浮かぶ、やはりビッグ・プロジェクト「まさゆめ」が、代々木公園の上空で決行された。

これらは、単ににぎやかな添え物ではない。五輪憲章では、スポーツは単独で成り立つものではなく、文化との融合によってオリンピズムという哲学の次元にまで高められなければならない。世界選手権との最大の違いはここにある。五輪における文化プログラムの実施は、開催国にとって必須の義務なのだ。

だが、いずれも緊急事態宣言下での実施となったため、そのスケールに見合うだけの多くの人が目にするのは難しい。多くの人、というのはこの場合、本来であればこの時期に世界中から東京に集まってきていたであろう、海外からの来客も含む。つまり、結果的にこれらのプロジェクトもまた、その規模の大きさにもかかわらず、極めてドメスティックな性質のものとなっている。

さらに19日からは五輪の会場が集中する東京、神奈川、千葉、埼玉などの首都圏で、大規模な交通規制が始まった。五輪期間中に大会関係者の移動を円滑に行うことが目的で、都心での車や人の流れも大幅に制限されることになる。結果としてわたしたちは、先のようなアートをめぐるビッグ・プロジェクトが行われても、報道や各種メディアを通じて間接的に目撃することになる。また、コロナ禍ではそれが望まれてもいる。

先日、ちょうど用事があり、都心の会場付近を歩いてみる機会を得た。まだ大規模交通規制の前だったが、要所で大規模なバリケードにより道が封鎖され、厳重な警備が始まっていた。通過できるのは、東京五輪のための統一されたユニホームを着て、首から認証のためのカードを下げた関係者に限られる。

その様子にわたしは、東日本大震災での東京電力福島第一原子力発電所のメルトダウン事故で入域が厳しく制限された、いわゆる帰還困難区域のバリケードをつい連想していた。それは放射能による被ばくや拡散を防ぐためで、今回の目的とは大きく違っている。だが、今回の都心での五輪のための封鎖もまた、ウイルスによる感染や拡散の抑制と無縁ではないはずだ。水際対策で危険性こそ大幅に減ったとはいえ、テロリストの侵入もむろん阻止しなければならない。

放射能、ウイルス、テロリズム。わたしたちは依然として「目に見えない」、その意味で巨大なスペクタクル（見せ物）の対極にある敵に分断され、規制され続けている。そこから浮かび上がる、東京でのスポーツと文化の融合による「目に見える」オリンピズムの哲学とは、いったいどのようなものなのだろう。

東京五輪は時空を異とする「並行世界」だ

2021年8月5日

酷暑下の7月31日、東京での感染者数が初の一日4000人を超え、新型コロナウイルス感染症の拡大が首都圏を中心にいよいよ危機的な状況を迎えつつある。ところが、緊急事態宣言下であるにもかかわらず、テレビはどのチャンネルをつけても連日連夜の五輪一色だ。ときおり挟まれるニュースで伝えられるコロナ禍の深刻さとの落差があまりにかけ離れていて、同じ国で同時に起きている出来事とは到底思えない。

国際オリンピック委員会のマーク・アダムス広報部長は、開催中の東京五輪は「パラレルワールド（並行世界）みたいなもの」と発言した。選手村や関係者の移動、競技施設での感染拡大防止対策の万全さを強調し、感染の急拡大と五輪との因果関係を否定するための比喩なのだろうが、中継や報道だけ見ていると、比喩ではなくSF的な意味で、東京五輪は時空を異とする本当の「並行世界」に見えてくる。

こうした並行世界感を増強しているのが、一般の観客がまったくいない試合会場だ。7月23日に開かれた開会式は、その最たるものだった。演出内容の是非は措いても、わたしにとってもっとも衝撃的だったのは、無観客のまま開かれる、史上最大規模と言って過言でない国家的スペクタクル（見せ物）だった。いったい、これだけの規模の新競技場を、国を挙げ、膨大な予算と時間と紆余曲折を経て、無観客の開会式のために建てたというのだろうか。それこそSFでの出来事のようだった。

と言っても、観客はいないのだから、一般には誰もがテレビを通じて見るしかない。つまり二次的な現実なのだ。だが、二次的な現実を伝えるだけなのであれば、モノとしての巨大な競技施設はなんのために必要なのだろう。よもや無観客の競技場で開会式を開くことが演出の一環であろうはずもないが、実際にはそのように見えた。仮にそうであれば、極端な話、観客席はコンピューター・グラフィックスでもよかったのではないか。

そこで浮かんでくるのが、2006年に国内で五輪招致合戦が繰り広げられた際、建築家の磯崎新が中心となり福岡五輪のために提示するも、結局は採択されなかった「21世紀型オリンピックのための博多湾モデル」だ。ここで21世紀とされているのは、巨大なスタジアムに大観衆を集めて開かれる20世紀型五輪へのアンチテーゼであるのは言うまでもない。

博多湾モデルでは、スタジアムは最初から動員ではなく中継のための「スタジオ」に置き換えられ、情報通信技術を駆使しての世界同時中継が、建築の初期仕様として最大限に重要視されていた。いわばリモート仕様だ。客席を最小限に抑え、博多湾に島のように散らしたのは、その頃に世界を席巻していたテロ対策のためだったが、いまならコロナ禍の隔離と無観客にうってつけだろう。

当時は斬新すぎるとの声もあったようだが、開催中の五輪も、政府がコロナ禍でのテレビ視聴を推奨しているように、もとより遠隔視聴に最適化されており、それでも必要とされる観客は、中継を前提とする興行収入と祝祭的な演出のためだった。最初から中継ありきなのだ。その意味で、巨大なスタジアムはとっくの昔に巨大なスタジオと化していた。

今回の五輪開会式は、目指された20世紀型五輪が、すでに遠い過去のものとなっていたことを、それこそ「並行世界」として露呈したのではないか。

スタジアムというよりは巨大なスタジオに見えた　２０２１年９月９日

緊急事態宣言下で開かれた「ＴＯＫＹＯ２０２０」は、コロナ変異株が全国で猛威を振るうなか、気がつくと終幕を迎えていた。というのも、本週報の前回で「ＴＯＫＹＯ２０２０」が一種のパラレルワールドとして公式に語られていることについて触れたとおり、実際にそうであったかは別にしても、街を歩いていても、世紀の祭典と呼んでいい「ＴＯＫＹＯ２０２０」が、たったいま、ここ首都東京で開かれているという実感が、ほとんどなかったからだ。無観客のまま実況されるテレビのなかにだけ、それはあった。本当にそれは、スタジアムというよりは巨大なスタジオに見えた。

そうなのだ。コロナ禍の世界とは、言ってみれば、すべての場所がウイルスを遮るため、無観客の「ひとりスタジオ」化する社会と考えることができる。パンデミック以降、世界の各所は実際に足を踏み入れて実感する場所ではなく、実況や収録によって遠隔から届けられる映像や情報に縮減された。いや、ユーチューバーの隆盛にあらわなように、このメディア社会では、もう遥か以前からそうだったとも言えるのだが、行こうと思えば行ける場所を「見る」ことと、容易には行けない場所を「視《み》る」だけなのとでは、雲泥の差がある。わたしたちはまさに、各人が実況や収録のためのスタジオである「遮られる世界」に閉じ込められることになったのだ。

このような状況下、日本で平成の時代のアートを牽引してきた「国際芸術祭」が、大きな困難に突き当たっていることについては、前から繰り返し触れてきた。どんなに規模が大きくても単館で収まる美術館での展覧会と異なり、芸術祭では街そのものがまるごとアートの舞台となる。名所の観光や街角での飲食、予期せぬ他者との出会いは、すべて芸術祭にとって欠かせない魅力であった。実況や中継では、絶対に届かない一回性の体験こそ、芸術祭があれほどまでに活性化した理由であった。しかし、そのことごとくが現在ではウイルス感染のハイリスクに置き換えられている。芸術の秋でもあり、旅にもっとも適した時期と言える秋は、芸術祭の季節でもある。そこには、いったいどのような手立てがあるのだろうか。

8月初旬に宮城県石巻市を中心に「前期」を開幕した「Reborn-Art Festival 2021-22」は、その先陣を切る芸術祭と言える。わたしも先んじて持たれたプレス・ツアーにPCR検査の陰性結果を手に参加してきた。その内容に詳しく立ち入る余裕はないが、本フェスティバルはもともと、東日本大震災の被災地である石巻の市街地と、その先に延びる牡鹿半島の森から浜に至るまでの広域が舞台となっており、今回はここに女川駅の周辺が加わっている。いまだ復興の途上にあり、地理的にも密になる恐れが抑えられているだけでなく、タイトルにあるとおり、今回では会期が大きくふたつに分けられ、前期の後半は来年の春にまで及んでいる。

もともと、フェスティバル（祝祭）といっても芸術祭の会期は数カ月にわたるなど長い。むしろ、芸術祭の本領は日常の隅々にまでアートを忍ばせ、「動員」とは異なるかたちで人を動かし、そのことで地域での新しい生活のあり方を示すことにあった。それをさらに長期に及ばせ、日常との垣根を外していくのは、今後の芸術祭のスタンダードになっていくかもしれない。

「言語は宇宙からのウイルスだ」とバロウズは言った

2021年9月23日

全国の都市圏を中心に爆発的な感染拡大に歯止めがかからなかった新型コロナウイルス感染者数も、ここにきてだいぶ落ち着きを見せてきた。医療の逼迫などを考えればむろん、まだまだ安心できる状況にはない。秋から冬にかけての再拡大の懸念もある。さらに新たな変異株の矢継ぎ早な登場も大きな脅威だ。

こうした変異株の未知の特性も気になるところだが、それとは別にこの場で考えたいのは、変異株の呼び名が次々に増えすぎて、専門家でもない限り、しっかりと区別して把握するのが難しくなってきていることだ。

アルファ、ベータ、ガンマ株など、比較的なじみのある名称で呼ばれていた頃はまだよかった。それが猛威を振るったデルタ株あたりからあやしくなり始め、WHOによる先の4種の「懸念される変異株」のほかに、現時点（9月4日時点）で「注目すべき変異株」として、すでにイータ、イオタ、カッパ、ラムダ、ミュー株が指定されている。

これらは当初、「英国株」「インド株」のように、最初に感染拡大した国名を冠に呼ばれていた。が、発生の由来を個別の国に求める実証は困難で、また特定の国への偏見を招くためギリシャ文字が採用されるようになった。

実際、20世紀初頭に世界を席巻した「スペイン風邪」はスペインから発生したわけではなく、第一次世界大戦で中立的な立場にあったため報道の自由があり、そのことで最初に蔓延が伝えられたのがきっかけだった。すでに歴史的な固有名詞と化していて修正は難しいが、実に不名誉なことと言うしかない。これに対し、アルファ、ベータなどの呼び名の語源は24個のギリシャ文字で、それぞれが英語で言えばＡＢＣにあたるアルファベットに対応している。

「懸念」や「注目」に指定されなかったため、先には触れなかったが、実はすでにイプシロン、ゼータ、シータも使用済みなのだ。ということは、すでに全体のうちの12番目、つまり半分までを使ってしまっていることになる。このあとニュー、クサイ、オミクロンなどが控えるが、残すところ12種類しかない。これらを使い切ってしまったら、次はどんな呼び名が出てくるのだろう。

ここで思い出すのは、かつて20世紀を代表するアメリカの前衛小説家、ウィリア

2021.9.23

ム・S・バロウズが、「言語は宇宙からのウイルスだ」と唱えていたことだ。

バロウズによれば、人間は言語を自在に活用しているようでいて、実際には「言語」というウイルスに感染して思考を乗っ取られており、そこから抜け出すためには、言語の特性である意味や概念、文法から自由にならなければならない。そのためにかれが小説を書くために活用したのが、既存の文章を切り刻んだり、折り畳んだりして配置し直す、カットアップやフォールドインと呼ばれる手法であった。

バロウズの唱えるように言語がウイルスかどうかはさておき、際限なく増え続ける新型コロナウイルス変異株と、そのための名付けの記号的なインフレーションを見ていると、ウイルスの変異の脅威が実際の毒性だけではなく、人間が使う言語の混乱を引き起こし始めているように思えてならない。

そもそも、こうした一方的な呼び名の増長は、ウイルスの変異という本来が非言語的な性質を、言語の特性である概念や記号によって整理しようとすることから来ている。それはそれで必要なことだろうが、そのことの「副反応」が、そろそろ起き始めてはいないだろうか。

身体は空気でつながっている

2021年10月7日

一時は国難的なまでに激増していた新型コロナウイルス感染者数が、夏の終わり頃から次第に減り始め、先月末をもって全国各地に出されていた緊急事態宣言、及びまん延防止等重点措置のすべてが解除された。実におよそ半年ぶりのことだった。これから冬にかけて第6波が来襲する恐れも否めないが、ワクチン接種が行き届きつつあることもあり、街は久しい活気に満ちている。

もっとも、すべてが元どおりというわけにはむろんいかない。飲食店の営業時間短縮やイベントの収容人数制限、外出時のマスクの着用や密を避ける行動などは引き続き守られる必要がある。かつてのように歓楽的な宴会や団体旅行が難しいのは言うまでもない。そんななか、アートや芸術について考える際に重要な鍵となる家族や他者といった概念に、従来とは異なるニュアンスが生まれつつある気がしてならない。

これらの言葉は、これまでも文化のみならず、思想や哲学について考えをめぐらす際、大きな意味を持ってきた。他方で、そうした思索は思弁的かつ抽象的なことが多く、なかなか一般的に感覚を共有するには困難なことがあった。

ところがコロナ・パンデミック以降、家族とはマスクを外して生活することが可能な最小単位としての具体的な意味を持つようになった。外食の際でも、望めば家族なら飛沫感染防止のためのアクリル板を外してもらうことができる。事実、家族は文字どおり「家族」というくらいで、物理的に家というかたちで一定の空間を共有して暮らしている。

言い換えれば、家族とは空気中に漂う目に見えない雑菌や細菌、ウイルスを身体的に共有しているということでもある。一時、外でのクラスターに代わって家庭内感染が多発した事例を見るまでもなく、家族とは抽象的な制度である以前に、生態学で呼ぶところの「コロニー」にも似て、空気でつながる身体や器官の共有でもあったのだ。

このことは、やはり抽象的な議論の対象となることの多かった他者という概念にも大きな影を落とさずにはおられない。こうした意味での家族に倣って言えば、他者とは慣習や価値観の違いより、なにより家族のように呼吸を通じて身体や器官を共有していない者のことを指す。

逆に言えば、これまでわたしたちは家族でもないのにしばしば、他者とのあいだに、会議やイベント、宴会や旅行を通じ、一定の空間を共有することで呼吸や飛沫を進んで交換してきた。それはつまり、他者が家族のように身体に巣くう同じ菌やウイルスを共有することでもあったのだ。

コロナ・パンデミック以降、盛んに活用されるようになった在宅勤務やリモート会議には、同じ勤務や会議であっても、そのような菌やウイルスの共有がない。だからこそ感染の余地が皆無なオンラインが推奨されたのだが、それは参加者がたがいに完璧な他者としてしか振る舞えないということでもある。

だが、完璧な他者とのあいだに、はたして踏み込んだ対話や意見交換は成立するのだろうか。リモート会議を経験するたびに深まる違和感は、装置としての不具合などよりも、身体的に「分断」された他者であるにもかかわらず、身を重ねることなくしては不可能なはずの「親身」さを求められる原理的な違和感に由来しているのではないだろうか。

世界中で忘却と反復が繰り返されている

2021年10月21日

今月18日、新型コロナウイルスの新規感染者数が東京で一日に29人となり、今年になってもっとも少なくなった。正直なところほっとしている。もっとも、なぜここまで順調に数が減ったのかについては、いまひとつ納得のいく説明が見つからない。

確かにワクチンの効果はあるのだろう。だが、東京では緊急事態宣言下でも新宿や渋谷の街のにぎわいは、皆がマスク姿であることを除けば、以前とさしたる違いはなかった。また、デルタ株の感染力は、従来とは桁違いの脅威と繰り返し注意喚起されていたのではなかったか。いかにワクチン接種が進んだとはいえ、国民が全体で集団免疫を獲得するにはまだ至っていないし、この冬の第6波の到来は第5波を遥かに越えるとの予測もある。けれども一部では、もうコロナ禍は終息したかの気分が見られるのも事実だ。

もちろんそれは気の早い話だろう。だが、緊急事態宣言が全国で解除され、旅行や仕事での出張などの移動の自由が戻り、飲食店も活気を取り戻し、ワクチン接種も二度済んでいるとなれば、気持ちががらりと変わっても無理はない。「Go To キャンペーン」の早期の再開を望む向きも多い。

しかし振り返ってみれば、昨年のいま頃もそんなふうだったのだ。それが11月頃から再び増加の傾向に転じ、年末から年始にかけて感染者数が跳ね上がり、慌てて急場の対策に転じるという顚末だった。ワクチンも接種後時間が経つと抗体が大幅に減少するという報告もある。油断している場合ではないのだ。

こうして忘却と反復が繰り返され、歴史的な認識にもとづく蓄積が伴わない困難について、かつてわたしは長編美術評論『日本・現代・美術』で、戦後の日本現代美術に見られる特徴的な傾向だと指摘した。そして、そのことで弁証法的な矛盾の克服と総合的な発展によって美術史を築いてきた西欧とは異なる美術批評の必要性を説いた。その根源的な背景として、東日本大震災以後に執筆した『震美術論』では、日本列島の地下構造がプレートの折り重なりと活断層による地震の巣で、ゆえに破壊と創造を繰り返さざるをえなかったことにたどり着いた。だが、こと疫病に関して言えば、日本列島だけの問題ではないのかもしれない。新型コロナについては、まさしくパンデミックの名のとおり、世界中で同様の忘却と反復が繰り返されているからだ。

2021.10.21

思い起こせば、そもそも1918年にピークを迎えたスペイン風邪のパンデミック自体がそうだった。その犠牲者が同時期の第一次世界大戦による死者を遥かに超える大惨事であったにもかかわらず、このパンデミックは20世紀初頭の世界戦争と比べて、長くその「世界性」に見合う歴史的な考察の対象とされてこなかった。このことは本週報の開始当初でも触れ、その理由についてずっと釈然としなかったが、忘却と反復を短期間で繰り返す現状を目の当たりにしたいまなら、わからないでもない。戦争のあとに残るのは勝者でさえ、その加害性ゆえに先の見えないトラウマと精神の荒廃だが、加害者のいない疫病の周期的感染増加のあとには、ウイルスに代わって急性の肉体の享楽が蔓延《はびこ》るのだ。

今回のコロナ禍は、奇しくもスペイン風邪のパンデミックからおおよそ100年経って発生した。そのことで改めてその名が歴史に呼び戻されたのだ。今回のコロナ禍から100年後の2121年に、では今回のパンデミックはどのように扱われているだろうか。

マスクをつけない素顔は大事な秘匿物となった

２０２１年11月4日

気温がだいぶ下がり冬の気配が迫ってきた。風邪の季節でもある。だが新型コロナウイルス感染症は日を追うごとに下火になりつつあり、街はいっそう活気を取り戻している。

個人的にも延期となったり時機を見ていた調査や視察、講演が立て続き、このところ島原、新宮（和歌山）、京都と出向いたが、飛行機も新幹線も以前とは比べ物にならないほど混んでいて、飲食店も夜の通りもにぎやかで歓楽の笑い声が絶えない。実際、店も深夜遅くまで開いている。手指の消毒や体温の計測も、キーワードだった「ソーシャル・ディスタンス」も、いまやどこか儀礼的だ。美術館も入場制限はあるのだろうが、人気の展覧会ではすれ違う距離もほとんどない。ただ、マスクの習慣だけはしっかりと定着し、今後は習慣から「慣習」になるのではないか。

この週報もすでにおよそ1年半にわたって続いている。当初はパンデミックと美術表現の関連について過去を振り返りながら歴史的に辿り、そのあとは感染の増減に沿ってアートとコロナ禍との推移について、現況を見ながら時評的に書き留めてきた。とはいえ、いつ次の感染拡大の波が始まるとも限らないので、ちょっと一息というわけではないが、今回はパンデミックとアートについて少々振り返りつつ書いておきたい。

本週報が始まって間もない頃だったけれども、わたしは今回のパンデミックによって、ウイルスを媒介する手の持つ意味が大きく変わったということについて書いた。そして、高村光太郎による手の彫刻などを例にとり、いまやその不気味さが際立ちつつあるとした。

けれども、この手の不気味さは、先に触れたとおり儀礼化しつつある手指の消毒によって、急激に薄れつつあるように思われる。

その代わり、アートや美術表現にとって意味を増しつつあるのが、やはりマスクなのだと思う。マスクは顔のかなりの部分を覆うから、なんと言っても人の顔から表情というものを奪う。目元だけで喜怒哀楽を表現する模索もあるようだが、どうしたって限界があるだろう。透明なアクリル板で顔を出したり間を仕切ったり工夫もさまざまだが、前回も触れたけれども、どこか不自然なのは否めない。リモート技術で顔を出しても、映像はやはり映像を超えるものではない。美術やアートでこうした余波をもっとも受けるのは、おそらく肖像的な表現なのではないか。

肖像画でも写真によるポートレートでも映像でも、人を描いたり撮ったり登場させたりすれば、必ず顔の存在が問題となる。そんなことはあたりまえで、以前ならこんなふうに書くこと自体がおかしなことだったに違いない。逆に言えばそれくらい大きな変化があったことになる。

もしわたしたちの日常を反映させるなら、マスクをつけたまま顔を描いたり撮ったりする必要がある。しかし表情を失った顔は表現の力を著しく減退させる。だから多くの場合、さまざまな感染拡大防止の対策をとったうえでマスクを外し、以前と同じような制作や撮影をするのだろう。しかし手法は同じでも「以前」と「以後」とでは顔の持つ意味が大きく変わっている。マスクをつけない素顔は、家族や親しい知人友人だけに公開される大事な秘匿物となったのだ。

こうしたことは、一部の宗教では古くから慣行となっていたけれども、パンデミックにそのような「必然」はない。「平常な顔」を失ったアートは、これからどんなふうに顔を「表象」していくのだろう。

制作のモチーフが「水」に求められている

2021年11月18日

ふだんから公募展の審査を頼まれる機会が多いのだが、その進め方も感染者数の波に大きく左右されている。応募書類をデジタル・データ化し、面談はリモートで行ったケースもある。だが、絵画や彫刻といった美術作品の場合、最終的に実作を見ないことには判断しようがない。映像や写真がアートの重要な一角を占めるようになった現在でも、それは変わらない。プリントやモニターで見るだけでは作品にならない。実空間でそれがどう展示されるかに手腕が問われている。それなら感染症拡大防止対策を施して行うしかない。

先日もキヤノンが主催する新人の登竜門「写真新世紀2021」のグランプリ選出のための公開審査会に審査員のひとりとして加わった。1991年に始まったこの写真のための公募展の最終審査は、事前に決定された優秀賞受賞作家がグループ展のかたちで展示を行い、併せて本人が、審査員や報道陣、関係者、一般の来場者を前に壇上に登りプレゼンテーションを行う。いわば劇場型の審査なのだ。コロナ禍ではハードルが高い。

ただし審査への対応は応募の時点から始まっている。個人的にもっとも心配したのはコロナ禍でモチベーションが落ち、応募者が減るのではないかということだった。しかし蓋を開けてみれば、総応募者数は過去最大の2191名となった。データでの応募が可能になり利便性が高まったのか、それともコロナ禍で在宅の制作時間に余裕が出たのか、はたまたこの機会に過去の制作を振り返るきっかけが生まれたのか、それはわからない。いずれにしてもコロナ禍での公募展での応募は、わたしの知る限り軒並み活性化している。

東京都写真美術館で行われた「写真新世紀2021」の公開審査も、会場はほぼ満席の活況だった。ただし、南アフリカとシンガポール在住のノミネーターは来日が困難で事前収録でのプレゼンテーションだったし、アメリカとシンガポールからの審査員の講評も同様だった。しかし、公開審査の様子はYouTubeを介しライヴで世界配信され、収録された過去とライヴの現在が入り混じる。こうした対面と間接、収録と中継の混在は、パンデミックの収束にかかわらず、今後も促進されていくのだろう。

そんななかグランプリを受賞したのは、賀来庭辰による『THE LAKE』と題

2021.11.18

された映像作品だった。コロナ禍の冬、3カ月にわたり標高1000メートルを超える山々に囲まれた群馬県の榛名湖で過ごし、湖が凍ってから融けるまでの景色を、人《ひと》気《け》の失せた無言のモノクロで淡々と記録した映像は、コロナ禍でのキーワードであった隔離と対話の変容、制御不可能な自然を見事に捉えていたと言っていい。

興味深かったのは、グランプリ受賞作に限らず、登壇した作家たちのうち、かなりの割合で制作のモチーフが「水」に求められていたことだ。湖だけでなく荒川、渋谷川といった河川、さらには抽象的なものだが沼をタイトルに付すものもあった。ただし海はない。

これはいったいなにを意味するのだろう。たんなる偶然だろうか。だが、コロナ禍での衛生環境で水がことのほか重視されたのは、手洗いの例を出すまでもない。本週報でも禊《みそぎ》などの儀礼で水が不可欠であることに触れたこともある。

だが他方で水は流動的で止まることがなく、揺るがない大地とは正反対にある。水害も数知れないいま、それがコロナ禍での新たな不安の表象でないとは言い切れない。

バウハウスにパンデミックの影を見る

２０２１年12月9日

全国で感染者数が激減し、久しぶりにコロナ禍以前に近い日常が戻ってきつつあると思いきや、新たな変異株、オミクロンの脅威が世界を駆け巡りつつある。実態はまだよくわかっていないものの、ワクチン接種の効果をすり抜ける恐れもあり、予断を許さない。日本政府も間髪入れず新たな海外からの外国人渡航者の入国禁止という厳しい措置に出ている。

いったいこのパンデミックはいつ終息するのだろう。20世紀初頭に人類を突如として襲ったいわゆるスペイン風邪は、終息まで足掛け3年に及んだ。だが、足掛けで言うなら今回のコロナ禍は、２０１９年＝令和元年の最初の報告から数えれば年明けにはすでに4年となる。今後も変異が続くなら、特効薬でも登場しない限り、新たな感染リスクの上昇や重症化の懸念は残り続ける。わたしたち人類が今後、この新型ウイルスに対抗するためのワクチン開発、抗体価の低下に伴う接種の繰り返しから解放さ

2021.12.9

れるのは、いったいいつのことなのか。

だが、長きにわたる日常の変容下、忘れられていたスペイン風邪の「再発見」に伴い、パンデミック下にあった20世紀初頭の美術史（ダダやシュルレアリスム）をめぐって見直しの余地が出てきたことについては、この週報でも当初に触れたとおりだ。同様のことは19世紀に誕生した写真術とその歴史的な歩みについても言えるかもしれない。

このことについて触れたオンライン・トークが去る4日、東京浅草のスペース、Book & Designで開かれた。これは蔵前のiwao galleryと共同開催の『BAUHAUS HUNDRED 1919-2019 バウハウス百年百図譜』（伊藤俊治著）刊行記念展の関連企画で、著者に加え造本を手掛けた松田行正と、ゲストに写真家の港千尋を招いて開かれた。バウハウスとは20世紀以降のモダン・デザインの行方を決定づけたとされるドイツに発する総合芸術運動、教育機関だが、そこで伊藤は第一次世界大戦後、というよりもスペイン風邪の世界的大流行以降の１９２０年代にドイツで台頭する「新即物主義」が、バウハウスの写真に潜む対象を「見つらぬく」視線に通ずるものではないかと説く。

そして、この「写真眼」とも呼びうる従来のリアリズムを超えた「魔術的リアリズム」をめぐる、対象から距離《ディスタンス》をとり、その不合理さ、不吉さを物や人の内部まで見通すかの冷酷な眼差しの背後に、20世紀初頭のパンデミックの影を見ようとする。

実際、新即物主義の絵画や写真に特有の対象への客観的な視線は、対象をそっくりに写しとる伝統的なリアリズムの手法や特性とはまったく違う印象を受ける。写実の精神やその裏返しでもあった表現主義の根幹にあった主観的な要素は徹底的に排除され、いっそ非人間的とさえ呼べる冷酷な態度がそこにはある。

伊藤はこれに続け、現在進行中の21世紀初頭のパンデミックについても、今後の写真や表現をめぐる動向について考える際に、バウハウスから新即物主義に至るかつての経路がひとつのヒントになるのではないかと語るのだ。

確かに、言われてみれば前回の本週報で取り上げた「写真新世紀2021」のグランプリ作、榛名湖に張った氷がやがて融けるまでを無人の風景のなかで、自己からも他者からも距離をとり撮影した映像作品、賀来庭辰《かくなおたつ》の『THE LAKE』には、そのような要素が色濃く出ていた。コロナ禍の苦悩や停滞は、アートにおいても表現や個性から冷徹な距離をとる方向を推し進めるかもしれない。

新たな祭りが「新しい未来」を切り開く

2021年12月23日

芸術祭「in BEPPU」は、大分県別府市に毎年1組のアーティストを招聘し、日本でも有数の温泉地としての地域性を活かして行われるアートプロジェクト。「越後妻有 大地の芸術祭」や「瀬戸内国際芸術祭」で知られる「芸術祭」は、国内外から多くのアーティストが参加する規模の大きさが魅力だが、「in BEPPU」は、あえて個展形式で開催する独自のスタイルをとる。今年は服飾デザイナーの廣川玉枝が別府に入り、先週から開幕した。

全国各地に普及したこの芸術祭形式の現代美術の祭典だが、コロナ・パンデミック以降は苦戦が続いている。海外からアーティストが来日できず、街に開かれた展示は密になりやすい。そもそも観光と一体化したところに最大の特徴もある。美術館での展覧会がコロナ禍での開催ペースを取り戻しつつあるのと対照的に、芸術祭はいまなお感染拡大のリスクと表裏一体なのだ。

そんななか「in BEPPU」は、国内のアーティストを中心に個展形式で開催してきたことで、コロナ禍でも工夫を凝らし健闘している。とはいえ、複数の温泉をはしごする「地獄めぐり」で名高い鉄輪《かんなわ》地区で、街ぐるみの新しい「神事」を始めるという廣川のアイデアは、芸術祭どころか全国各地で祭りそのものが感染拡大防止のため一般の目から姿を消しつつあるいま、実に大胆な挑戦であった。

廣川の着眼は、大地の恵みである温泉が、対極的に「地獄」とも呼ばれる二重性にあったようだ。このような二重性は、まさしく自然の特性でもある。矛盾しているようで、恵みも災害もあくまで人間目線のものだ。それなら自然に根ざした祭りそのものにも、こうした二重性が本来備わっていたはずだ。温泉という「極楽」を舞台とする祭りが、同時に「鬼」が出没する「地獄」であって、なんの不思議もない。

廣川は、この鬼を折口信夫に由来する「まれびと」として設定し、火をモチーフに、外からの到来者として個性豊かにデザインした。確かに温泉は、外の人と土地の人が「火＝地熱」を媒介に絶えず交わり続ける現場でもある。日常が祝祭化していると言ってもいい。祭りは共同体の結束を高めるために行われると考えられがちだが、実際には逆なのだ。廣川と写真家石川直樹や脳科学者中野信子との対談でも語られたとおり、共同体として閉じてしまいがちな地域を外に開くことで新しい「血」を招来し、未来を担保するためにこそ祭りはある。としたら、コロナ禍で排外や分断ばかりが目立ついま、「新しい生活様式」を超えて「新しい未来」を切り開くためにも、五輪のような巨大な「イベント」ではない、新たな祭りが求められているのではないか。

とはいえ、まったく新しい「神事」を突然、街を舞台に始めることが大きな抵抗に遭うことは想像に難くない。言い換えれば、廣川自身が「まれびと」として受け入れられるかどうかは、どんなに準備を重ねても予測は不可能だ。ところが実際に立ち会ってみて驚いた。まるで昔から受け継がれてきた行事のように異形の神々は鉄輪の地に溶け込み、子どもたちやお年寄りも巻き込んで、やがて共に踊り、ついには一体の輪となるほどの盛り上がりを見せたのだ。裏返して言えば、伝統から切れた「まれびと」としてのアートだからこそ、このようなことが起こりえたのかもしれない。

二〇二二年

人と人との関係性そのものが変質しつつある

２０２２年１月13日

新たな年が明けた。だが、２０２２年を迎えるや否や、ここまで短期間のあいだに全国各地でオミクロン株が驚異的な感染拡大を引き起こすとは、なかなか想像することが難しかった。

もっとも、この週報でも触れたかもしれないが、一昨年から昨年の年末年始にかけても、感染者の急激な増加があった。その意味ではよく似た反復をしていることになる。その大きな要因が年末に特有の催事や人出《ひとで》によるものなのだとしたら、人はそれを知りつつ行動の抑制をしなかったことになる。いや、逆に次の感染の波が来ることがわかっているからこそ、その前に享楽を済ませておこうとする心理さえ働いていたのではないだろうか。そうなら、渦中にあるパンデミックのなかに、わたしたちはいよいよ四季に代わる別の周期性を見出しつつあるのかもしれない。

だが、空気感染に近いとも言われるその感染力とワクチンによる抗体効果の減衰時期のことを考えると、これまでで最大の危機的な状況となることも考えられなくはない。オミクロン株は爆発的な感染力のわりに重症化のリスクは少ないというのが定説となりつつある。だが、感染力が強ければそれだけ感染者の母数は大きくなり、どうしても一定の割合で重症者が増えてしまうからだ。

だが、オミクロン株でもっとも懸念されるのは、重症化のリスクが低いことそれ自体かもしれない。重症化のリスクが低いということは、おのずと無症状感染者の割合が高くなることを意味する。無症状感染者は症状を感じないから無症状なのであって、普通に生活していてわざわざ感染しているか否かの検査を受けることはなかなかないし、それなら通常どおり職場に出たり人と会ったりするだろう。

つまり、ウイルスはこれまでに輪をかけて透明化しつつあるのだ。弱毒化して感染力を高め、逆に生き残るうえでの進化を遂げつつある、と言ってもいい。このような状態に起因して今後、感染者数が増え続けるようなことがあれば、社会のなかにますます未知の隣人を忌避する傾向が出てきてもおかしくない。そうでなくてもいつ、どこで誰からウイルスに感染させられるかわからない不安を抱えるようになっている。より些細なことがさらに大きな憎しみを煽るようなことにもなりかねない。

このようななか、アートはいったいどのように状況への対応をしていけばよいのだろう。というのも、アートは2000年代以降のグローバル期に、その流動的な関係性を武器にプロジェクトやワークショップの方法を取り入れ、未知の隣人とともに可能性の拡大を続けてきた。ところがここへきて、人と人との関係性そのものが「新しい生活様式」のひとことでは片付けられないネガティヴな要因を含んで変質しつつあることがわかってきた。感染防止対策やリモート技術の導入で数年を堪え、以前の方法論は維持したまま「嵐」の去るのを待つ、というやり方は通用しそうにない。

今年は1年の延期となった「越後妻有 大地の芸術祭2022」や国内で最大規模の「瀬戸内国際芸術祭2022」、そして新体制となった「国際芸術祭『あいち2022』」など、各地で大型の国際芸術祭が相次ぐ。アートの核心にあるのが他者との出会いなのだとしたら、2022年という年こそ、アートにしかできないその新たな回復の可能性が求められている。

年月の感覚がおかしくなってきている

2022年1月27日

年明けからまもなく再拡大したコロナの第6波は、これまでにない勢いで過去の感染者数を塗り替え、東京ではとうとう一日に新規感染者数1万人を超えるまでに至った。2022年になったばかりなのに、21年、いや20年と同じことを繰り返しているようで、年月《としつき》の感覚がおかしくなってきているように感じるのはわたしだけだろうか。通常なら、それぞれの年ごとに起きた出来事でくっきりと性格づけされるはずの年号が、なにか漠然と一体のように感じられるのである。

時間の感覚だけではない。身近な日常そのものが以前と異なるものになっているのは、いまさら「新しい生活様式」「新しい日常」という標語を出すまでもない。だが、その「新しさ」そのものがすでに失われつつあるのではないだろうか。マスクを常時着用し、見知らぬ人との接触を極力避け、遠出や旅行を自粛し、押し黙って飲食する習慣は、もはや「常態」となりつつある。「新しい」のではなく「常態」なら、わた

2022.1.27

したちの心の状態に少なからぬ変化を与えないはずがない。

他方で、新しかろうが常態だろうが、その生活や日常そのものを支えている地球環境に大きな変動が起きていることは、いまや誰の目にも明らかだろう。先日、トンガ沖で起きた海底火山の巨大噴火は、驚いたことに8000キロメートルも離れた日本列島にまで潮位の変化をもたらし、国内の太平洋沿岸に沿って広く津波警報、津波注意報が出された。だが、気象庁は今回の潮位変化が津波であるかは不明で、そのメカニズムもわからない、と異例の発表もした。

海底火山については昨年の8月にも小笠原諸島の「福徳岡ノ場」が大規模な噴火を起こし、その影響で大量の軽石が海流に乗って日本各地の沿岸に漂着した。明治以降に日本列島で起きた噴火としては最大級のものだった。噴火ではないが、22日の未明には日向灘を震源とするマグニチュード6・6の地震が発生。大分県や宮崎県で震度5強の揺れが観測された。緊急に開かれた会見で気象庁は、もしマグニチュード6・8以上だった場合、「南海トラフ地震臨時情報」を出すための準備を進めていたことを発表した。南海トラフ巨大地震では最大で32万3千人が犠牲となり、総額で220兆3千億円の経済的損失が想定されている。その被害は想像を絶している。

なにが言いたいのかというと、本稿の前半で述べた、国境どころか都道府県境を跨いだり、マスクわずか1枚の着脱をとっても是非が問われるような日常と、国家の存亡を左右しかねない超巨大な災害にいつ晒されるかもわからない日常とのあいだに、わたしたちはどのように辻褄を付ければよいのかということなのだ。やはりこれは「終わりなき日常を生きろ」というのとも違っている。もちろん、そんな辻褄をわざわざ考えなければならない理由はない。けれども、このふたつの次元の異なる日常をめぐる前例のない乖離が、わたしたちが直面しているまぎれもない現実であることも確かなのだ。

ところがアートは、何気ないささやかな日常からも、現実を遥かに超える空想からも着想を得て、それをエネルギーに変え、通常の常識では言い表せない領域を切り開いてきた。常態と化した奇妙な日常の二重性が、アートの世界にどんな変化を誘発するか、注目しなければならない。

「古臭い生活様式」の回復を

2022年2月10日

暦は早くも2月に入ったが、オミクロン株の猛威は依然、沈静化する気配がない。東京では一日あたりの新規感染者数が1万人台から2万人台を記録する日が増え、いよいよ身近なところでも感染の事例を聞くことが増えてきた。けれども他方で、感染者数がさらに加速し、これまでにも増して爆発的となる様子もない。少なくとも欧米とは明らかに桁が違っている。

だいぶ前のことになるが、この週報でも、感染の連鎖が国内ではある水準でとどまる傾向にあることの背景として、日本列島に棲む者に身についた衛生観念を挙げた。もちろん実証された話ではない。たんに検査数が追いついていないだけという説も有力だ。しかしそれでもなお、日本では親愛の情を示すため気易く他人同士で抱き合ったりすることはためらわれてきたし、きれいな水で手を洗ったり口をすすいだりするのは、奨励されるというより、進んで行われてきた。

先に衛生観念と書いたが、それらはもしかすると、たんに清潔好きというのではなく、細菌やウイルスによる感染や蔓延を極力避けるための、生活の知恵だったのではないかと最近、そう思うようになった。

たとえば先頃、都心の最寄りの神社で「どんど焼き」をやるというので、元旦の松飾りなどを焚いてもらおうと久しぶりに境内へと足を運んだ。すると想像していたよりもずっと多くの人が集まっていて、地元の消防団の立ち合いのもと、すでに赤い火が立ち昇り始めていた。もともとどんど焼きは、一年の無病息災を祈念する神事だが、目の前の火を囲んで見た目以上に強い熱に身を当てていると、ここにはたんなる行事にとどまらない、具体的な感染症対策が秘められていたのではないかと感じた。

実際、火は身のまわりのものに付着した細菌やウイルスを消毒用アルコールの比ではなく滅却する。また、一年でもっとも寒い時期に火に当たって体を内から温めるのは、免疫力を高める効果もあるはずだ。欧米ではシャワーで済ますところを、風呂にゆっくり身を浸して体を芯から温めたり、冬場に炬燵に入って積み上げたみかんでビタミンCを補給するのも、よく似たことかもしれない。

そんなことを考えながら鳥居の付近に新設された手水《ちょうず》に目を向けると、こんな文言が手にした印刷物に記されているのに気づいた。

2022.2.10

『手水』の始まりは3世紀（西暦250年頃）の古墳時代、国民の半数以上が死亡する疫病が流行したことを深く悲しんだ第10代崇神天皇が（中略）神社に手水舎を設置し『手を洗い身を浄めること』を推奨しました。そしてこれが日本人が手を洗う習慣の始まりとも伝えられています。（『ひぃかわ』第19号）

史実なら、やはり手水も、衛生観念というより感染症対策であった可能性があることになる。もしかしたら、いまのわたしたちに必要なのは「新しい生活様式」ではなく、「古臭い生活様式」なのではないか。そしてアートに引き寄せて言えば、「古臭い生活様式」にもとづく新しい表現なのではあるまいか。

ところが、疫病を退散させるはずの火の手は思いのほか勢いが強く、付近から通報があったのか、消防署が様子を見にやってくるに至った。「伝統的な行事でも、こういう世の中ですから……」と注意の声が聞こえてくる。いやむしろ、こういう世の中だからこそ、伝統的な行事の実効性を回復するときでは、と逆に心のなかで思ったのだが。

パンデミックだからこその美術とは

２０２２年２月24日

だいぶ前のことになるが、マンガ家の楳図かずおの代表作のひとつ『14歳』を取り上げ、現在のコロナ・パンデミックの前提となるような地球規模の気候変動が、すでに先見的に暗示されていると触れた。いま、ついマンガ家、としてしまったが、その楳図が85歳にして「画家」として新たな名乗りをあげた展覧会「楳図かずお大美術展」が東京、六本木で開幕した。

この展覧会についてはわたし自身、アドバイザーとして当初より関わり、展覧会の構成などに深く関与している。ただ、その楳図がマンガではなく全１０１点に及ぶ絵画の連作を手掛け、しかもそれが先の『14歳』から数えて27年ぶりの「新作」となることもあり、情報は直前まで伏せられていた。最初に相談を受けたのが２０１７年の春だったから、準備に5年あまりが掛かったことになる。

それはむろん、楳図が80歳を越してまったく新しい分野と技法に挑み、しかも点数

2022.2.24

が101点に及ぶこともある。しかし同時に、2020年に世界が新型コロナウイルス感染症の蔓延に覆い尽くされ、さまざまな企画や事業の進捗に急激なブレーキがかかってしまったことは大きい。事実、この展覧会に限らないが、本展も1年の延期や会場の変更を余儀なくされた。また、楳図自身の年齢から考えても、感染による重症化のリスクは少なくない。

だが、コロナ・パンデミックの渦中となったから可能になったことがある。まず、展覧会の延期は、101点に及ぶ連作絵画を仕上げるのに必要な時間を楳図に与えた。もし予定どおりの開催であったら、制作中の状態での展示になっていた可能性もあった。

また、マンガのようにアシスタントが使えず、サポートする編集者もおらず、画材も技法も異なり、すべてをいちから工夫して描いていかなければならない絵画では、なによりも体力と集中力が必要となる。その点、外出が抑制され、家にこもることが奨励される特別な時間は、絵を描くのにまたとない環境であったに違いない。

こうして考えてみたとき、パンデミックによる生活環境の激変は、社会活動の大幅な停滞こそ余儀なくされても、創作者、とりわけ絵画や、もしくは文学のように、たったひとりですべてをこなす必要がある芸術家にとっては、必ずしも悪い条件ではない。というよりも、そうした状況下でなければ生まれない想像力を加速し、コロナ以前では見られなかったたぐいの作品を世に出す可能性がある。

わたしが審査に加わっている岡本太郎現代芸術賞（TARO賞）は、現代美術の世界で新人を輩出する賞として知られている。今年で四半世紀の第25回を迎えたが、その記念すべき回に、最高賞の岡本太郎賞に輝いたのは、糸と針による、ひと縫いひと縫いから紡ぎ出される初の刺繍作品で、作者である吉元れい花が結婚を機に刺繍を始めたのは35年前ほどのことだった。そこに費やされた膨大な時間だけでも想像を超えるものがある。だが、今回の応募は数年前に脳出血で倒れ、半身に不自由を抱えての創作だった。「人間の手の中で人間の手の速さでしか進まない手刺繍」、「一針の前進」と語る吉元の言葉は、楳図によるまったくの新境地の開拓同様、グローバル・ワールドを前提としてきたこれまでのアートに、別の次元を切り開く予兆ではないだろうか。

パンデミック下で始まったプーチンの戦争

2022年3月10日

ロシアによるウクライナへの軍事作戦が突如として始まり、世界に先行きの見えない暗雲をもたらしている。今回のパンデミックは20世紀初頭、第一次世界大戦の渦中で世界的な大流行に至った、いわゆるスペイン風邪以来の規模とされるが、現在進行中の戦争は反対にパンデミック下で始まった。このことの意味は大きい。というのも、第一次世界大戦が終結に至った理由のひとつに、スペイン風邪による大幅な戦力減退が挙げられることがあるように、皮肉なことに、パンデミックには戦争を終わらせる側面があったからだ。

実際、2020年にパンデミック宣言がなされて以降、際立った世界的紛争が伝えられることはほとんどなかった。確かに、外出もままならないのに戦争ができるはずがない。仮に想定しても、感染症防止対策を施さなければ作戦に多大な影響を及ぼすだろう。そのせいとは言えないが、昨年の夏にはアメリカの駐留部隊がアフガニスタンから撤収し、20年にわたったアメリカ史上最長の戦争にピリオドが打たれた。この週報でも当初、パンデミックには戦争抑止の効果があることについて触れたことがある。

ところが、ここに来てこの規模の戦争が起こることになると、いったい誰が予測しただろうか。ウクライナから西側へと脱出する人々の列は止むことがなく、報道で見ていてもマスク姿の人は見かける程度で「密」は避けようがない。感染よりも爆撃の方が怖いのは無理ないことだ。難民があふれる国境でいちいち体温を測ったり、体調の悪い人を押し戻したり、一人ひとりPCR検査をしている余裕があるはずもない。戦争はかようにすべてをなし崩しにしてしまう。

それにしても、プーチン大統領がなぜ、人類が一致して「ウイルスとの戦い」に邁進している渦中で「隣国との戦争」に踏み切ったのか、さまざまな説が飛び交っているものの、はっきりしたことはわからない。確かなのは、ウイルスとの戦いよりも、人類による古典的な戦争の方を優先したということだろう。というより、戦争が困難とされるコロナ禍であるからこそ、意表をついた大規模軍事行動に出た可能性も否定できない。確かに、第一次世界大戦のときと違い、革命的に進歩しつつある感染検査やワクチンの接種を繰り返せば、それも不可能なことではない。そうなら、21世紀の

2022.3.10

パンデミックは戦争を抑止するどころか、別のかたちで推し進める側面さえあるのかもしれない。

新型コロナウイルスによるパンデミックは、冷戦が終わり、ソ連が消滅し、世界が資本主義に覆い尽くされることで幕を切ったグローバリズムの産物とされる。1990年代初頭のことだ。それゆえウイルスとの戦いは、地球（グローブ）規模の経済活動や人の移動を抑制し、「世界を遮る」ことで推し進められた。そのことでグローバリズムに依拠するアートも多大な影響を受けた。だからこそ、アート界はコロナが去ったあとの世界のあり方について真剣に議論していたのではなかったか。

だが、今回の戦争で世界はふたたび冷戦期のような相貌を帯び始めている。そのさまは「ポスト・コロナ」であるどころか、「プレ・グローバリズム」を想起させる。「チェルノブイリ（チョルノービリ）」をはじめとする核施設が占拠され、一部が攻撃を受けることで、別の意味での「核戦争」の恐怖さえ浮上しつつある。人類は「ポスト・コロナ」どころか、決定的に過去へと退行してしまうのだろうか。

原発があるだけで容易に「核戦争」になりうる

２０２２年３月24日

東日本大震災から11年が経過した。わたしは今年も3月11日を福島県の浜通りで迎えた。昨年誕生した、一年のうちこの日だけ開く私設でコンセプチュアルな美術館、ＭＯＣＡＦ（Museum Of Contemporary Art Fukushima）を今年も訪ねたのだ。原発事故による避難で住む家を離れ、取り壊しとなった空き地の所有者の厚意によって実現したこの美術館については、また改めて触れることもあるだろう。その敷地に有志が集まり、円陣を組んだ午後2時46分の直前、街には黙禱の呼びかけが流され、そのあと1分間のサイレンがあたりに響き渡った。

さまざまな想いが脳裏をよぎった。だが、ひとつだけ今年、ここで特別に記しておく必要があるとしたら、それはやはりロシアによるウクライナ、チェルノブイリ原子力発電所の武力による占拠だろう。以前から原発へのテロ攻撃が大きな懸念として挙げられてはいた。だが、史上最悪の原子力災害を引き起こし、周囲に依然、広大な立ち入り禁止区域を残すチェルノブイリ原発が、少数のテロリストではなく、ロシアという世界の主幹をなす国家によって、しかもコロナ・パンデミックの渦中で軍事的に制圧されるなど、いったい誰が想像したことだろう。ある意味、核兵器が使われずとも、21世紀の戦争は原発があるだけで容易に「核戦争」になりうるのだ。

事実、この3月11日、チェルノブイリ原発は送電設備の損傷によりすべての電源供給が失われ、使用済み核燃料の冷却システムが緊急時の予備電源のみの稼働となり、それも48時間後には停止するという緊迫した状況にあった。現在は回復したものの、わたしたちは今年の3月11日の黙禱を、前例のない緊迫した状況のなかで迎えることになったのだ。

チェルノブイリで事故が起きたのは1986年の4月26日のことだ。まもなく36年が経過する。チェルノブイリはいつしか過去の教訓のように語られるようになり、限定的な観光の対象や、ドラマの題材とされることも増えた。だが、それはまったく過去などではなかった。静かに震災の犠牲者を悼むべき日に、世界を包みかねない新たな核災害／核戦争を予感させるという意味で、これほどまでチェルノブイリを生々しく感じたことはなかった。

ところで、MOCAFでの黙禱の様子は、東京・六本木で開催中のアーティスト・

コレクティヴ、チンポム（Chim↑Pom）による過去最大の展覧会「ハッピースプリング」（森美術館）の会場一角に設けられたモニターへの中継映像と音声によって、黙禱のサイレンと併せ伝えられた。東京の繁栄の象徴とも呼ぶべき超高層ビルのてっぺんと、福島にぽっかりと開いた空き地が、アートによって3・11の日に黙禱のサイレンで逆説的につながるというのも、コロナ禍でのリモート技術のかれらならではの活用だろう。

それからわずか5日後の3月16日夜、宮城県や福島県で震度6強の揺れを記録する大きな地震が突如として襲い、首都圏は大規模な停電に見舞われた。その余波で電力の供給が制限され、国は22日朝から初の「電力需要ひっ迫警報」を発令した。11年前のいま頃、首都圏で敷かれた「計画停電」により街は暗く冷えたようになっていた。コロナとは別の意味で、電車による通勤を控える呼びかけもあった。コロナによる「まん防」は21日をもって全国で解除されたが、そのにぎわいを支えるエネルギーの供給ラインは変わっていない。

菊畑茂久馬との「お別れ」がようやくできた

2022年4月7日

2020年5月に他界した画家、菊畑茂久馬《もくま》とは晩年、濃密なやりとりをさせていただいた。とりわけ菊畑が15年に福岡から上京し、東京国立近代美術館で全点が公開中だった同館所蔵の藤田嗣治による戦争画を一緒に見て歩いたあと、当の戦争画をめぐって忌憚のない意見を交わしたインタビュー（『美術手帖』2015年9月号）は、忘れられない思い出だ。

美術批評家としてのわたしの仕事の核のひとつに「戦争と美術」があるが、そのきっかけとなったのは、菊畑の存在にほかならない。1970年に無期限貸与という異例のかたちで米国から日本に戻された戦争画の意味について、多くの論客が沈黙を守るなか、真っ先に議論の俎上に載せたのは、批評家でも歴史家でもない、ひとりの「絵描き」としての菊畑だった。

ほかにも菊畑からは多大な刺激と影響を受けた。美術については独学であるわたしにとって、その意味で菊畑は心の師匠と呼べるほど大きな存在だった。その菊畑の逝去が伝えられたとき、思わず東京から駆け付けたい衝動に駆られた。だが、それはできない。すでにコロナ・パンデミックが世界を覆い尽くしていたからだ。

コロナ・パンデミックが死者との別れをあいまいなものにしたのは、程度の差こそあれ誰でも覚えがあるのではないか。どんな著名人でも規模の大きな葬式は感染防止のため挙行されていないし、「偲ぶ会」も多くの人を集めるので難しい。おのずと死もまた「密」な実感を伴わないものとならざるをえない。いつまでも、ひょんなことからどこかで顔をあわせそうな気がしてならないのだ。

そんな菊畑との「お別れ」がようやくできたのは、3回目のワクチン接種を終え、新型コロナによる第6波も落ち着きを見せた去る3月のことだった。福岡市内を見渡せる小高い丘陵に位置する寺の一角に、そのお墓はあった。「菊畑さん、来ましたよ」「お世話になりました」と声をかけ、墓前で腰を下ろして手を合わせ、ようやく自分のなかでひとつの節目がついた気がした。菊畑の逝去から2年近くが経とうとしていた。こうした時間差を伴う「別れ」は、今後もコロナ・パンデミック下では常態となっていくのだろう。

その菊畑に無理を承知でお願いし、福岡市美術館の山口洋三学芸員（当時）に協力

2022.4.7

を仰ぎ、2016年の釜山ビエンナーレの際に再制作をしていただいた「奴隷系図(三本の丸太による)」(オリジナルは1961年)が、現在、福岡市美の新収蔵品展で公開中だ。1983年にやはり再制作され、現在は東京都現代美術館が収蔵する「奴隷系図(貨幣による)」(同前)とは異質の、この時期の菊畑について知るうえでたいへん貴重な作例である。齢《よわい》を重ねてからの過去作の再制作は、それを行うかどうかの決断はもちろん、記憶や素材の準備、どこまで再現するかなどでハードルはいっそう高い。「これはわたしから椹木さんへの贈り物だ！」と威勢よく声をかけてくださったのをいまでも思い出す。

その菊畑が生きていたら、いまロシアとウクライナのあいだで起きている戦争について、絵描きとしていったいなにを思っただろう。「戦争と美術」は、過去の代物ではないのだ。それどころか、いまこそ生々しい。菊畑茂久馬の亡きあと、アートはどう対峙するのか。ましてやパンデミックの渦中での戦争ならばいっそうに。

1991年と2022年は多くの点で共通している

2022年4月21日

最近、1991年のことをよく思い出す。それは、個人的には自分が最初の評論集を世に出した年というのもあるが、ウクライナとロシアの戦争を見ていて、現在のロシアの前身である旧ソ連が崩壊したのがこの年の暮れであったことが浮かんだからだ。そうして考えてみると、改元されてまだまもない時期であったということをはじめ、1991（平成3）年と2022（令和4）年とのあいだに、いくつかの点で奇妙な符号があることに気づいた。

わたしが初めて海外に出たのが1990年の27歳のとき、行き先は旧ソ連、目的はペレストロイカ下での現代美術の調査であった。そのときの体験はまだ若かったわたしに多大な影響を与え、いまに至る美術批評家としての原点ともなる契機であったが、その超大国が翌年の暮れに忽然と消滅し、その結果として「ロシア」が復活することになったのは、驚愕の出来事であった。

2022.4.21

先に触れた旧ソ連の現代美術についての評論が発表されたのは雑誌『美術手帖』で、振り返ってみたところ、扱われたのはその号（90年6月号）の第二特集「モスクワ1990 ソ連アート最新レポート」だった。だが、すっかり忘れていたのは、巻頭の特集が、HIVウイルスによる感染症「エイズ」の犠牲となり世を去ったグラフィティアートのスター「キース・ヘリング追悼」であったことだ。

それで思い出したのだが、この頃は死に至る病であったエイズによるエピデミックがアート界でも猛威を振るい（やはり写真界出身のアート・スター、ロバート・メイプルソープが同じエイズで亡くなったのは89年）、同時に旧ソ連という超大国をめぐる東欧での一連の民主化運動による混乱が、連邦国家を構成する諸共和国間で熾烈な内戦を引き起こさないかと、世界が固唾をのんで見守っていた。

現在に至るロシアもウクライナも歴史的にはともかく、政治的にはこの時点に出自があるわけだが、結果としてそのような内戦は回避された。そのことにほっとしながらも、なにかすんなりと行き過ぎている違和感も感じたものだった。86年に大事故を起こし、つい先頃、現在のロシアによって軍事的に占拠された旧ソ連領、ウクライナのチョルノービリにある「チェルノブイリ」原子力発電所が今後どうなるのかについて、まだ生々しい放射能の恐怖が残る時期のことだったこともあった。

だが、すんなりといかなかったのは、むしろ中東でのことだった。90年の夏に突如としてイラクが隣国クウェートへと軍事侵攻し、翌91年の初頭には国際連合の決議を受けてアメリカを主力とする多国籍軍が派遣され、イラクの首都バグダッドを雨あられと空爆するまさかの「湾岸戦争」へと発展したからだ。アメリカが本格的に他国への軍事攻撃に介入する点でベトナム以来と呼ばれたこの戦争は、戦争といえばおおむね映画やマンガといったエンタテインメントの世界のなかのものにすぎなかったのが、決して空想のものでも過去のものなどでもないことを多くの人に気づかせた。

こうして見てくると、未知のウイルスによる感染症の蔓延や原発からの放射能という見えないものへの恐怖、旧ソ連とそれを構成する国家間の緊張、そして唐突な戦争の勃発などという点で、1991年と2022年は、多くの点で共通している。というより、現在わたしたちが抱えている2022年の状況を生み出した要因を近い過去へと遡っていくと、それが1991年にあったように思えてくるのだ。

「顔の見えない時代」が到来しつつある

2022年5月12日

長く続いたコロナ禍にも、終わりの兆しが見えてきているように思えるのはわたしだけではないだろう。街のにぎわいはもちろん、勤務する大学でも、ほとんどの授業で対面での開講が再開され、かつての活気が戻ってきている。もちろん、マスクの着用や手指の消毒は相変わらずだが、当初、大学はもっとも感染対策が難しいとされ、国内では異例な事実上のロックダウンが続いていただけに、その回復ぶりは著しい。実技が骨子となる美術大学ならなおさらだ。

もっとも、教授会をはじめとする各種委員会などは依然としてリモートでの開催が続いている。が、これは感染防止対策だけではなく、その方が効率もよく合理的だからだろう。また海外や日本でも地方に在住の非常勤講師によるオンライン講義も、居住地にかかわらず声を掛けることができるメリットかもしれない。そういうことで言うと、オンラインやリモートは、今後も一定の範囲で社会に定着していくことが予想される。

他方、街に目を向けると、地元の商店街でも、老舗の個人商店がこの間、ずいぶんと店を閉じた。それも数十年続いた個人経営の店が多く、高齢化や後継者の問題も重なり、これを機に引退を考えたからではないか。なじみの飲食店で話を聞くと、早い時間の来客は確実に戻ってきているが、前と違うのは、ある時間になるとスッと客足が鈍り、都心で遅くまで店を開いても来客の回転はめっきり減ったらしい。

口を揃えて言うのは、店じまいの時間を早めることを考えているということだ。終電車の繰り上げが相次いだことも影響しているだろうが、また元に戻すとは考えにくい。当初、感染拡大の槍玉に挙げられた「夜の街」のあり方も、大きく変化しつつある。

アートに引きつけて言えば、ギャラリーなどでの人気作家の個展のオープニングでは大人数の二次会の開催があたりまえだったが、そうした習慣は影を潜め、開いても人数が絞られるようになった。しかしこれはこれで悪いことばかりではないかもしれない。席を離れた同士での大声のやりとりはなくなったし、そもそも大人数の集いが苦手な人だって多かったはずだ。全体に集団は小ぶりとなり、会話は抑制気味で、時間もだらだらとは続かなくなった。地声が大きい人や、大人数でわいわいするのを楽

2022.5.12

しみにしていた人には辛い時代となったが、感染対策ならそれも仕方がない。「新しい生活様式」などの標語とは別に、わたしたちのライフスタイルは確実に変化しつつある。

こうしたコミュニケーションやライフスタイルの推移は、今後、アートをはじめとする表現の現場にどんな変化をもたらすのか。マスクの着用などは、仮にコロナ禍が去ったとしても、電車内や飲食店の厨房などを中心に、冬と夏とを問わず、着実に習慣化されていくはずだ。そう言えば、個人的にもインフルエンザを含めまったく風邪をひかなくなった。そうでなくても、衛生面に限らず、もともと家の外で素顔を晒したくない人は少なからずいたはずだ。文字どおり、コロナを経て「顔の見えない時代」が到来しつつあるのだ。顔の見えない時代には、顔の見えない時代のアートが当然のように姿をあらわすだろう。むろん、こんな予測めいたことを書いても、依然としてコロナの次の波が、もうすぐそこまで控えているかもしれないのだが。

マスクがサングラスのように使われている

２０２２年５月26日

政府からコロナ対策の要であったマスク着用について緩和の目安が示され、これでまた一歩、かつての日常が戻ってきそうだ。実際、マスコミの報道などでも、今回のマスク緩和について多くの人が肯定的に受け止めている様子がうかがえる。だが他方で、わたしの住む東京の都心で道ゆく人を見ていると、現時点ではまだ、ほとんどすべての人がマスクを着用したままだ。これから気温が高くなればおのずと外すようになることも考えられるし、他の人が外すようになれば、次第にそれに倣い着用しない人が増えるのかもしれない。

だが個人的には、少なくとも人混みのなかでは、たとえ至近で会話するようなことがなくても、当面のあいだはマスクを着けたまま過ごそうと考えている。理由として挙げられるのは、マスクを着用することの息苦しさに慣れるなかで、そのことで生まれる利点にも気がついてしまったからだ。なかでももっとも実感させられたのは、これは前回も触れたが、夏と冬とを問わず、ほとんど風邪らしい風邪をひかなくなったことだ。言い換えれば、都心の人混みが、いかに細菌やウイルス、そしてそれを運ぶ粉塵や花粉、そして飛沫であふれていたかということでもある。事実、欧米でサル痘と呼ばれる感染症が一部で新たに広がっている。今後もどんな未知のウイルスが出現するとも限らない。

2番目は、マスク着用がこれほどまでに常態化したことで、人前で素顔を晒すことのリスク、と言えばよいのだろうか——そのことの「非日常性」の方が際立って感じられるようになったことだ。そういう視点で考えてみれば、個人情報がことのほか重んじられる現代にあって、ある人がどのような顔をしているのか、ということは、最大の個人情報であると言ってよい。カメラで撮影されることがなくても、名前を特定されることがなくても、剝き出しの素顔のまま街に出るということは、個人情報を公開しながら歩いているに等しい。そういう気持ちに立ってみれば、マスクを着用していること自体の安心感というものがあることがわかったのだ。

こうしたことは、マスクの着用が事実上義務化されたようになった当初では、いずれも予想していなかったことだ。しかしたとえ少数であっても、それらのことを意識してマスクの着用を常態化していた人はコロナ以前から存在したはずだ。そうでなくても、日本人の「マスク好き」はかねて指摘されていた。たとえ政府がマスク着用の基準を緩和したとしても、またパンデミック以前のような状態にすんなり戻るとは思えない。むしろコロナ禍は「日本人のマスク好き」を公認のものとし、結果として大幅に拡大したのではないか。

そうして考えてみたとき、本来は細菌やウイルス、粉塵や花粉を体内に取り込まないための防御膜として存在したはずのマスクが、ちょうどサングラスのように、実は他人からの視線を遮るための手軽な遮蔽装置としての働きを持っていたことに気づくのだ。その機能に特化して言えば、マスクとは、マスクというよりも日本語で言うところの「仮面」である。そして、マスクとは英語で文字どおり仮面を意味する。コロナが去ってもなおマスクが常態化するなら、それは国民が総じて仮面を着けて暮らす社会が到来することを暗示する。

芸術祭は芸術運動のようなものになりつつある

2022年6月9日

「芸術祭」のシーズンがやってきた。とりわけ今年は昨年から延期となった国内での芸術祭の嚆矢、「越後妻有 大地の芸術祭2022」や国内最大の芸術祭「瀬戸内国際芸術祭2022」がすでに開幕している。また大型芸術祭では「あいちトリエンナーレ」から改称し新たな出発となる「国際芸術祭『あいち2022』」のほか、後期を今年に配した「Reborn-Art Festival 2021-22」（宮城）、さらには「岡山芸術交流2022」など目白押しだ。また海外でも2年に一度の「第59回ヴェネチア・ビエンナーレ国際美術展」、ドイツ・カッセルで5年に一度開催される「ドクメンタ」展の「ドクメンタ15」と、世界でも最大級の催しが集中している。

このうち国内での二大芸術祭と呼べる「大地の芸術祭」と「瀬戸内国際芸術祭」に開幕から足を運んだ。「Reborn」は昨年の前期から見ている。海外は渡航が緩和されたものの長期の滞在を要するので具体的な計画は立てられていないが、ほかにも国内での芸術祭には各所へと足を運ぶ予定だ。まだ結論めいたことを言う段階ではないが、コロナ禍での大型国際芸術祭、現代美術展に共通の傾向がすでに見え始めているように感じている。

ひとつは、会期の長期化だ。これはコロナのいわゆる「波」が会期に掛かり移動などに制限が生じたとしても、そうでない時期にある程度の挽回が図れるように考慮した結果であると思う。芸術祭はその名のとおり「祭り」なので、その象徴が収穫祭であるように、日本では四季の折々と深く連動する。ところがコロナ禍では「春夏秋冬＝四季」に代わって「感染の波」が年間の人々の行動を左右する──これは本週報でも繰り返し強調してきた。これにより芸術祭でも季節に応じて魅力を発揮する祝祭的要素が薄くなりつつある。さらに長期化は、溜めに溜めた力を一気に解放するという「祝祭」とは逆の感触を受け手に与えるかもしれない。こうした一連の変化の結果、国内での芸術祭は総じて従来の「芸術祭」の典型から、緩やかな離脱を図りつつあるように思われる。

もっとも、芸術祭がコロナ・パンデミックの前から抱えていた課題のひとつがその継続性、つまり芸術祭のない期間にいかに次回へと至る機運を持続するかにあったことから考えると、芸術祭そのものがその名称も含めて大きな岐路に立っているのかも

2022.6.9

しれない。もちろん、芸術祭が作品の「鑑賞」というよりもインバウンドの語に代表される「観光」をモデルに組み立てられていたがゆえに生じるリスクについては、海外からの訪日まで視野に入れるといまだ回復の目処が立たない以上、どうしても考慮せざるをえない。

さらに言えば、パンデミックがそのような「世界観光」の加速化によりあっという間に地球の隅々まで広がったことを考えれば、こうした人の移動を可能にするグローバリズムそのものが仮に回復しても、それはそれで次なるパンデミックがいつどこで起きても不思議ではない大きなリスクと共存していくことになる。その余波を受けるのはなにも芸術祭だけではない。美術館での展覧会でも同様だろう。やはり根本からアートの基底が変化しつつあるのだ。

こうしたなかで芸術祭は少しずつ芸術運動のようなものになりつつある。だが、観光としての祭りを牽引するのが経済だとしても、「運動」ではそうはいかない。では、そもそもがなんのためのアートだったのか、それこそがコロナ禍で試されつつある。

アートは状況に対して必ず遅れてやってくる

２０２２年６月23日

何度か書いてきたことではあるが、いよいよ街にかつての活気が本格的に戻りつつある――そんなふうに感じることができる日が続いている。不思議なことに、そうなると薄れていた季節の気配がむっくりと顔を出す。今度こそ「波」ではなく、数年に及んだコロナ禍も終息に向かいつつあるのだろうか。

第一次世界大戦当時に猛威を振るった「スペイン風邪」も、これといって有効な対策もないまま、それでも数年が経過するといつしか姿を消した。パンデミックをもたらすウイルスの特性なのか、それはわからない。しかし、今回の新型コロナウイルスもまた、新たな株を増やしつつ同時に症状を見る限り、徐々に弱毒化しつつあるのは確かなことに思われる。今年になってわたしの周囲でも、顔がわかる範囲で感染者が次々に出て隔離を余儀なくされたが、ほとんどが実質、無症状だった。症状が出たからではなく、念のために調べたら陽性だったというだけで、調べないまま感染してい

2022.6.23

る人はもっと遥かにたくさんいることだろう。

　このあとどうなるのか、まだ予断を許さないことに変わりはない。だが、もし本格的な終息ということになると、このコロナ週報もそろそろ終わりが近いことになる。そういう気持ちで考えてみたとき、未知の感染症が世界を瞬く間に覆い、各地で死者が相次いだ頃とは、心に抱く危機感の違いが著しいことに気づくのだ。あの頃、本週報の大前提は今回のパンデミックで世界の様相が大きく変わる、というものだった。であれば、アートもまたその以前と以後とではまったく違うものになってしまうかもしれない――そんな確信があった。

　だが現実にはどうか。いまになって見ると、そこまでの変化が起きているとは思えない。すると、問題そのものの次元が変化しつつあることに気づく。なにかと言えば「コロナ・パンデミックを意識せよ」から「コロナ・パンデミックを忘れない」へと移りつつあるのではないか。というのも、かつて第一次世界大戦を遥かに超える犠牲者を出したスペイン風邪が、その後、まるでなかったことのように忘れられていたことがあるからだ。しかしそれも現状を見る限り、わからないでもない気がする。

　戦争や震災と違って、感染症はものが物理的に破壊されるわけではない。多くの人が亡くなるにしても、爆撃や津波のようにひとつの場所でいちどきに命が失われるのとは違う。感染症による死は、どんなに数が多くても一回ごとの悲劇には時差があり、被害の全体より個別の見えない死の方が人類史的な悲劇に潜伏する。

それでもなお、戦争や震災とは別のかたちで、かつての危機意識のありようを維持しなければならない。というのも、わたしたちの生活がもとに戻れば戻るほど「あれは大袈裟だった」「そこまで心配するほどのことでもなかった」という反動が起きるに違いないからだ。だが、そうなればそうなるほど、新たなウイルスの登場によるパンデミックが生じるリスクも高まる。スペイン風邪の時代とは違い、わたしたちはもはやウイルスによるエピデミックやパンデミックが繰り返される時代に入っている。

そこで、なぜアートなのか。エンターテインメントと違い、時代への省察を伴うため、アートは状況に対して必ず遅れてやってくる。コロナ・パンデミックが人類になにを刻んだのか、本当の意味でアートが扱えるようになるのは、むしろこれからなのだ。

歓迎されざる同伴者

2022年7月7日

数年にわたり猛威を振るった新型コロナウイルス感染症の蔓延も、とうとう峠を越したか、と思いきや、新たにサル痘と呼ばれる聴き慣れない感染症が欧米で流行り始めているらしい。

すでに韓国、台湾でもヨーロッパからの帰国者より感染事例が見つかっており、海外への渡航が緩和された日本も他人事ではなくなってきた。また、しばらくなりを潜めていたインフルエンザの集団感染も新たに見られるようになり、東京・立川では学年閉鎖となった学校が出た。

報道によると、現在は冬にあたるオーストラリアではインフルエンザの爆発的な流行が起きているという。日本でも、インフルエンザによる学級閉鎖と言えば空気が乾燥した冬が定番だったが、梅雨時に流行とは、いったいどうしたことだろう。感染症対策が緩和されたとはいえ、道行く人はマスク姿が圧倒的に多く、手指の消毒や体温の検査はほぼ日常化し、ウイルスとの接触も以前と比べ比較にならないくらい減っているはずだ。

梅雨と言えば、東北南部では先日、統計史上もっとも早い梅雨明けが発表された。東京もその数日前に梅雨明けしている。だが、梅雨らしい梅雨があった気がしない。そこへきて6月としては過去に例を見なかった先の猛暑である。コロナ禍の「波」は目立たなくなったけれども、だからと言って以前の懐かしい「四季」が戻ってくるということでもないようだ。

こうしたことを考え合わせたとき、やはり人類は終わりの見えない気候変動と、それに伴う新たなウイルス感染症が引き起こすエピデミックやパンデミックと当分、手を替え品を替え付き合い続けなければならない段階に入っているのかもしれない。

もっとも、ことのはじめから地球は人類のために作られたわけではない。動物もいれば虫もいる。植物や菌類、目に見えない細菌やウイルスも、大気圏内には至るところ偏在する。人間の文明は科学の力によって新しい段階を得たが、半面、こうした共存者の存在を必要以上に意識の外に排除してしまったかもしれない。

冒頭で出したサル痘にしても、これまではアフリカ大陸の一部で報告されるに留まっていたのが、それらの国への渡航歴のない患者が相次いで見つかっている。ヒトが

2022.7.7

首尾よく地球を移動できるのは航空機をはじめとする文明の恩恵だろうが、逆にそのことで、ウイルスも寸暇を惜しんで世界を飛びまわるビジネスマンよろしく、その同伴者のようにあっという間に世界へと拡散されるようになった。

とするなら、これからのアートは、これらの歓迎されざる「同伴者」のことを意識しないではいられないだろう。ウイルスは作品にも、それを作ったアーティスト自身にも、そしてそれを支えるキュレーターやギャラリストの出張にも、宿泊先だけでなく、展示場までぴったりとついていくかもしれない。

これまで、アートと言えば圧倒的に「見るもの」だった。だが、これからは単に作品を見るだけでは済まされない。いくら見ても「見えない」存在が、その移動や流通を根底から脅かしているかもしれないからだ。これは消毒や体温測定、各種検査といった付随的な問題ではない。むしろ、そうした目に見えないウイルスとの付き合い方は、これからのアートの「見え方」そのものを確実に変えていくことになるだろう。

いったい何回接種すれば免疫が定着するのか

２０２２年7月21日

街の様子もすっかり活気を取り戻し、久しぶりに国際展の取材のため海外に出る者、国外から来日する美術家も目立つようになり、いよいよコロナ禍も終息か、と考えていた矢先、突然、感染者数が前の週に比べて倍増し始めた。そうしているうちに今月16日には11万人を超え、あっという間に過去最多を記録した。

このいたちごっこのようなぶり返しは、まったく意外だった。オミクロン株の流行以来、周囲でも感染した者は増えたものの、そのほとんどが風邪のような軽い症状だったので、油断していたこともある。だが、いくら軽症が多くても、数が飛躍的に伸びればおのずと重症者の数も増え、治療のための病床は埋まっていく。そうなればまた医療の危機だ。しかも今回、3度目のワクチン接種をした者からも次々と感染者が出ている。いま置き換わりつつあるのはオミクロン株の亜種ＢＡ・５で、これがいわゆる第7波をもたらしているのだという。

2022.7.21

手元にはすでに4回目のワクチン接種券が届いているけれども、前のようにすぐにでも打ちたいという気持ちになれないのは、いったい何回打てば免疫が定着するのか、わからなくなっているからだろう。

もうだいぶ前のことになるが、わたしは戦後の日本では欧米のような美術史が成り立たず、歴史を持たない宙吊りのなかで忘却と反復を繰り返しているだけだ、と考え、そのような歪んだ円環を生み出す場所のことを「悪い場所」と呼んだ。当初、この考えは自律的な近代を持たずに美術を国家による輸入（文明開化）によって取り入れた日本では、欧米のようには近代が社会に根付いておらず、そのことを自覚しないまま先進的という理由だけで前衛に走れば、破壊は矛先を失ったままおのれへと向かい、やがて自滅に至り、結局、破壊と復興を繰り返さざるをえない、という制度論的なものだった。

やがてそれは東日本大震災を経て、悪い場所を生み出すのはたんに制度というよりも、そうした制度を文字どおり地盤から支えていた大地が日本列島では極めて不安定で、ときに大きく揺れて直上のものをなぎ倒し、記憶を喪失したような更地に戻してしまう、という地学的要因にもとづく、と考えるようになった。だがいま、新型コロナウイルス感染症の絶え間ない変異と再流行を体感し、この忘却と反復は長期にわたる疫病によってももたらされるのだ、ということに思い当たっている。

今回のパンデミック当初、わたしたちはさかんに「アフターコロナ」「ポストコロナ」「ウィズコロナ」ということを唱え、かつての生活の刷新と新たな回復を念頭において行動した。だが、これらの目標が意味を持つのは、わたしたちがコロナ禍の前の暮らしを覚えていることが大前提となる。しかし、すでにコロナ禍で3回目の夏を迎えたいま、いったいどれだけの人が、かつての生活の様子を細部まではっきりと思い出すことができるだろうか。実際、生まれたときからコロナ・パンデミックの渦中にあり、そのまま成長している世代は年々、増している。かれらにその様子を伝えるのは実は至難の業だ。

これはアートでも変わらない。言ってみれば世界中が「悪い場所」と化したいま、地球の全体で短期的な忘却と反復が、微妙にずれながら出口の見えないなか繰り返されている。

祭りは感染機会であると承知のうえで行われてきた

2022年9月6日

東京でも夏の終わりを感じさせる秋の風が吹くようになったが、コロナ禍の第7波はこれまでの定型的な周期と違い、増えたり減ったりを繰り返し、以前のような収まりを簡単には見せそうにない。人の移動や行動を制限せず、マスクの着用も緩和しての初めての夏だったことや、帰省や夏休みの旅行、各所で開かれた催しごとも（感染対策を施して行ったとはいえ）その一因かもしれない。

けれども、波が見えなくなるということは、言い換えれば新型コロナがいよいよ日常に定着しつつあるということでもある。ひょっとすると、このような状態が、かつて言われた「ウィズコロナ」なのだろうか。もちろん医療現場が逼迫したままというわけにはいかないが、もしも現在のような暮らしのスタイルが「ウィズコロナ」であり、もっと言えば「ポストコロナ」なのであるなら、コロナ以前のかつての「日常」は、もう二度と戻ってこないのかもしれない。

かつてとまったく同様ではないにせよ、アートに引き寄せて言えばこの夏、「コロナ以前」にも増して多くの芸術祭に足を運ぶ機会があった。個人的にも「越後妻有大地の芸術祭」、「瀬戸内国際芸術祭」、「Reborn-Art Festival」、「葦の芸術原野祭」（斜里）などに向かったが、規模にこそ大小はあるものの、延期や中止に追い込まれることはなく、各所の状況に即して淡々と開催されていた。むろん、芸術祭が展覧会である以前に観光事業としての側面を色濃く持つ以上、その「成果」は具体的な「数字」となって跳ね返ってくるものの、そもそも祭りとは数字でその成否を測れるものであったのかどうか。

前から不思議に思っていたことがある。というのは、各地に昔から伝わる祭りや儀礼は、少なからず疫病退散を祈願して行われてきた。にもかかわらず、いざ疫病が流行ってみると、そのことごとくが中止に追い込まれた。これはいったいどういうことなのだろう。疫病が恒常的に猛威を振るう日常があるからこそ、そのような祭りは起こったのではなかったか。裏返せば、人が集い密に接することから感染の恐れがあったとしても、祭りは絶えることなく伝わり、催され続けてきた。

これは、祭りが本来のあり方を失い、エンターテインメントや事業としての性格をあまりに強めてしまったことを意味する。おそらくかつての祭りは、日常よりも遥か

2022.9.6

に濃密な交感によって、多少の感染拡大があったとしても、火や水で浄めながら、それでもなお行われなければならなかった。衛生環境や治療の対処など現在とは比べ物にならなくてもそうだったのだ。祭りとはおそらく、ある程度の感染機会であることを承知のうえで行われてきたことになる。別の角度から見れば、それくらいの切迫感が日常そのもののなかにあったことになる。

そういう意味では、コロナ禍でなお開催される祭りや芸術祭は、制限された不完全なかたちでの祭りというよりも、古来あった本来の祭りのかたちに、逆に戻りつつあると言えるかもしれない。

多少の感染者は出ても祭りは開かれていい、ということが言いたいわけでは決してない。エンターテインメントや観光に偏りすぎていた祭りの性質をもう一度見直し、「元に戻す」ばかりを優先しないことが、実は「アフターコロナ」ではなく、「コロナ以前」の「さらに以前としての常態」を想い起こさせることになるのではないか。美術やアートにとってもそれはなんら違いがない。

映画「アートなんかいらない!」の背景に荒川修作がいた

2022年9月22日

山岡信貴監督の新作映画『アートなんかいらない!』が東京のシアター・イメージフォーラムで公開中だ。その後、全国各地に巡回するということなのだが、これが「Session1 惰性の王国」(98分)と「Session2 46億年の孤独」(88分)の二部構成からなる大作で、福岡ではキノシネマ天神で10月に公開が予定されている。「セッション」とあるのは、この映画がアートをめぐる現状について関係者や専門家、その周辺でアートに関心を持つ人たちに、山岡監督自身が広くインタビューをした結果をまとめたものだからだ。

扇動的なタイトルは、2019年に開かれた「あいちトリエンナーレ2019」で「表現の自由」をめぐる大きな社会的反発が起き、それまでアートとは無縁な人たちから「アートなんかいらない!」という抗議の声が強く巻き起こったことに端を発する。だが、その直後からコロナ・パンデミックの波に世界中がのみ込まれ、今度はま

2022.9.22

た別の次元から文化や芸術の必要性が問われることになった。アートもその一端であったのは言うまでもない。

したがって、この映画の取材はコロナ禍で行われており、その意味ではアートをめぐってコロナ禍で、なおかつアートは「不要不急」か——広辞苑によれば「どうしても必要というわけでもなく、急いでする必要もないこと」——について作られた、世界でもおそらくは初めての大作映画ということになる。

実はこの映画、未知の新型コロナウイルス感染症を恐れて皆が家に閉じこもっていた初期の頃、わたしにも取材依頼が来た。けれども、その当時は外をうろつくだけでも非難の目で見られ、加えてマスクも不足していたから、おのずとインタビューそのものが困難となった。ちょうどその時分から遠隔地をネットでつなぐリモート・セッションが一気に普及することになったわけだが、わたし自身は「リモート」はいまだに苦手で、山岡監督もこの映画のなかでリモートでの取材は行っていない。それでもこれだけの数のインタビューが実現していたことに驚かされるが、直《じか》にコロナ禍のことが話題になっていなくても、潜在的には誰もがそのことを言わずもがなの念頭に置いている。その意味でも興味深い時代のドキュメントになっている。

いまドキュメントと書いたけれども、本作は世界的な芸術家であった故・荒川修作が晩年、可能性の限界からアートの世界と手を切ったことや、山岡監督自身が縄文土器と触れる機会を得て、それ以降はアートに対して「不感症」になってしまったことが大きな製作の動機となっている。その意味では、ごく私的な疑問を他者からの答えを通じて徹底的に追いかけてみたという見方もできるのだけれども、その徹底さによって、アートはコロナ・パンデミック以降も従来のかたちのままでよいのか、感染拡大が終息して以前のアートを取り戻せばそれでよいのか、という根源的な問いかけにもなっている。

話を戻すと、この映画で山岡監督から依頼されたわたしへのインタビューは実際には実現しなかった。その代わり、わたしはほかの出演者の方々とはまったく別のかたちで、「影からの声」という役割で全編に関わることになった。別にナレーションを担当したわけではないのだが、結果的にそのことで、わたしのなかのアートとコロナ禍をめぐる無意識がこの映画を通じて炙り出されることになった。しかしそれはまた別の機会に譲ろう。

福島の帰還困難区域は「接触困難区域」になった

2022年10月6日

２０１１年に東日本大震災の影響から福島県で起きた東京電力福島第一原子力発電所メルトダウン事故による放射性物質の拡散で、長期にわたり「帰還困難」とされている双葉町の一部がこの夏、避難指示を解除された（放射線量が地上１メートルで３・８マイクロシーベルト毎時以下、およびインフラの復旧整備などを条件とする）。

この「帰還困難区域」内で15年から始まった国際現代美術展が「Don't Follow the Wind」（風を追うな）である。この区域は高い放射線量によりバリケードで各所が封鎖され、立ち入るには特別な許可が必要となる。つまりこの展覧会は、スタートしたものの、実に7年にわたって「見に行くことができない展覧会」のまま昼夜ノンストップで継続され続けていた。だが、今回の避難指示解除によって、住民の帰還＝居住が可能となり、誰もが立ち入ることができるようになったため、これに伴い一部の展示会場も「見に行く」ことが可能になった。その最初の一般公開が今月から期間限定で実施される。

実はわたしはこの終わりの見えないプロジェクトの実行委員ということもあり、その内容について詳しく論評する立場にはない。だが、この間想像もしなかったようなことがいくつも起きた。その最たるものが世界的な規模のウイルス汚染、コロナ・パンデミックであることは言うまでもない。

当初、許可を得てこの区域内で作品の設置、メンテナンス、記録などを行っていた頃、わたしたちは例外なく白い防護服に身を包み、マスクや手袋は必須のものであった。一部の区域では依然としてそのことにかわりはない。だが、コロナ・パンデミックにより、防護服やマスクは外部からの放射性物質の体内への取り込みを防ぐというだけでなく、体内から放出されているかもしれないウイルスを外に出さないための封じ込めの装備となった。帰還困難区域は、言ってみれば拡散された放射性物質を封じ込めるための策定だったわけだが、コロナ・パンデミックによって、今度は一人ひとりの身体が、ウイルスを封じ込めるための防護——あえて言えば「接触困難区域」——を抱えるようになったのだ。

なかでももっとも気を使うのが人の呼吸である。ウイルスは会話などによって生じる飛沫に乗って感染を広げる。そのベースとなるのが呼吸である。ところが、偶然に

2022.10.6

も「Wind」（風）にも「呼吸」の意味があったのだ。それだけではない。日本では「風邪をひく」というように、風邪という語句そのもののなかに「風＝Wind」が含み込まれていた。つまり「Don't Follow the Wind」とは、コロナ・パンデミック下で読み替えるなら、「息を避けろ」もしくは「風邪をひくな」という意味を含んでいたことになる。偶然とはいえ、興味深い符号ではある。

だが、それははたして本当に偶然なのだろうか。もともとこの展覧会がそう名付けられたのは、放射性物質が風に乗って移動するからであった。緊急時に被ばくを避けるなら、風上に向かうしかない。だが、いまわたしたちもまた、感染のリスクを避けるなら人の息や呼吸に対して「風上」にいるのが安全とされる。つまり、原発事故やウイルス感染が実際に起きうる世界では、風がたいへん大きな意味を持っている。さらに話を敷衍すれば、台風のような大規模災害が増えていることも「風を追うな」の範疇で捉えられるかもしれない。風はわたしたちの行く末を決定づける特別に大きな鍵となったのだ。

「ハレ」が大幅に後退した

2022年10月20日

全国への旅行支援や海外からの来日客へのビザ緩和などで、はたして街や観光地はふたたびかつてのにぎわいを取り戻すだろうか。その行方についてはまだ少し様子を見る必要があるとして、このところ飲食店で口を揃えて言われるようになった話がある。

それは客の滞在時間帯の変化だ。以前であれば営業時間中に席が3回転した店でも、2回転まではかろうじてしても、3回転目がなかなか厳しい。その反対に、早い時間での1回転目が以前にも増して混むようになっているようだ。だが、実際には早い時間にいくら来客があっても席がいっぱいになってしまえば仕方なく帰すしかない。結局は売り上げ向上につながるわけでもない。それなのに「いつ行っても混んでいて入れない」と思われてしまう。そこのところがなかなかわかってもらえないと言うのだ。

これはきっと飲食をめぐる人々の生活様式に少なからぬ変化があったことに由来す

るのだろう。実際、最終電車の時間も繰り上がっている。みな早い時間に軽く飲んで、あとは店の梯子もせず早々に家へ向かうということなのだろうか。それはそれでよい。だが、ここで考えなければならないのは、生活様式の変化はおのずと人と人とのコミュニケーションのあり方まで変えてしまうということだ。

飲食店、特に酒場は親密な人と「本音」を語る場でもあった。そういう機会に昼の形式的な会議などでは明確になりにくいことがはっきりすることもあったはずだ。また酒場は出会いの場所でもある。生涯にわたりその人の人生にとって大きな意味を持つことになる未知なる人との出会いが起こることも少なくなかろう。

夜の時間はこの意味で柳田國男が定式化した二種の時間「ハレとケ」のうち、「ハレ」を伴う非日常的で想定外のことが起きる稀な時間であると考えられる。昼間のうちでは、どんなに重要な案件を扱っても時間のうえでは「日常（ケ）」の延長線上にあるしかなく、おのずと想定外の出来事が起きるのを抑制するからだ。

こうして見てみると、コロナ禍による生活様式の変化は、たんなる行動する時間帯の変化にとどまらず、人々のあいだで「ハレとケ」の関係が以前とは異なるものになっていることをうかがわせる。

端的に言えば「ハレ」が大幅に後退し、「ケ」の時間が占める割合がそのぶん相応に大きくなっているのではなかろうか。ということはつまり、人々はますます「日常」に支配されるようになり、突発的な出来事や偶然の産物といった「ハレ」が生み出す外力の影響からはどんどん切り離され始めている。

そのような「ハレ」の時間がよきことばかりを生み出してきたとはもちろん言わない。だが、芸術のようなもともと非日常の領域に潜む未知の可能性を切り開こうとする分野では、この「ハレ」の力の後退は、長期的に見て創造力をめぐる大きな停滞を生み出しはしないかと心配になる。

日常（ケ）とは自力、自助の世界でもある。逆に非日常（ハレ）はそのような計算可能な世界を破って、自分の力だけではどうにもならない創造力が降りてくる機会でもある。「イベント」はいまや日用語だが、かつては「ハプニング」とも呼ばれ、アートの世界での突発的な事件、出来事を意味した。言い換えればイベントが「ハレ」でなくなり、計算可能な「ケ」となる世界に、わたしたちはますます近づいているのかもしれない。

オンラインに余白はあるか

2022年11月3日

先日、コロナ・パンデミック以前から毎年開催されていた、とあるアートの全国大会が久しぶりに開催された。といっても、オンラインと対面とのハイブリッドであったが、やはり対面で志を同じくする者が一堂に集うことの貴重さを改めて実感する機会となった。

いま対面、と言ったけれども、一時は対面ということだけならオンラインでも画面越しとはいえ顔は合わせているのだから、実際に会うなら面接と呼ぶのが正しいというような意見もあったが、面接という語はなんだか試験のようなニュアンスがあって誤解を招くし、いまはもう対面と言えば同じ場所を共有して話し合うことを意味するようになっている。このような語用の一時的な混乱や定着も（原発事故のときもそうであったが）非常時に特有の現象だろう。

話を戻せば、改めて思ったのは、対面で人と人とが会うということは、なにも会議の開催というような形式的なこととはまったく違うという体感だ。些細なことかもしれないけれども、たとえばオンラインの会議で休憩とはマイクとカメラを切って一人になることを意味する。他方、対面時での休憩とは、会議のような形式では捉えることができない、細切れだけれども大きな実質を伴う会話が交わされる大事な時間だ。オンラインではこのような側面が見事に削ぎ落とされてしまう。チャット機能を使えばよいではないかと言われるかもしれないが、肉声とはやはり違うのだ。

これは休憩に限らない。会議が始まる前のいい意味での緊張感や雑多さ、そして会議を終えたあとの自由に弛緩した空間（空気？）は、集った人たちが共有した時間をゆるやかに共有し直す場を提供するし、ときに決定的な意味を持つことも少なくない。極端なことを言ってしまえば、人と人が対面で会うことの核心は、このような余白の方にあるとさえ考えられる。オンラインで済むことで面倒な移動や会場の準備がいらなくなり楽になったという声を当初は多方面から聞いたが、結局それは人が集まるための経費や、時間を管理することの経済合理性が徹底されたという側面の方が強いのではないか。

特にアートのように創造性や想像力がなによりも重視される機会においては、合理性の追求は、本来得られるはずの成果からは逆を向いているように思えてならない。

2022.11.3

だからこそ無駄や雑の効用ということをあえて問いたいのだ。これは前回、アートにおいて偶発性から始まったはずの文字どおりの「イベント」が、現在では徹底して管理される「事業」へと変化してしまったことにも通じる。

冒頭で触れた会議の翌日は、対面で参加した人たちが芸術祭を見て回る時間に当てられたのだが、その様子を見ていて改めて目が覚まされるように感じた。というのも、道中で初対面のはずだった人が次々につながり、新しい展覧会の企画や提案が次々にまとまっていったからだ。しかしよく考えてみれば、コロナ・パンデミック以前では、このようなことがあたりまえだった気もする。いや、きっとあたりまえだったはずなのだ。

同じかたちのコマのなかに閉じ込められ、全員が一斉に前を向く余白や雑味のないオンラインの画面では、起こりようがないことだ。この3年間で、そのような効率のよさばかりを重宝がることで、なにか失ってはならないはずの大事な感覚をいつのまにか忘れさせられているような気がしてきて、実は少し恐ろしくなった。

次なるパンデミック、そのあとのパンデミック、さらにそのあとのパンデミック

2022年11月17日

　このところ全国でふたたび新型コロナ感染者数が増え続けている。いま、つい「ふたたび」と書いてしまったが、今回の増加は第8波の入り口と捉えられているので、正しくはふたたびどころか三たび、四たび、五たびさえ超えて、読み方も書き方も判然としない繰り返しとなっている。一方で、以前のような観光をはじめとする人々の行動制限や飲食店への営業自粛の働きかけなどがなされる気配はない。これから気温が一段と低くなり、まめな換気が難しくなれば、感染はさらに拡大する恐れが高い。加えてこれまでのような抑制のない年末のクリスマスや忘年会シーズンへと突入すれば、素のままの「ウィズコロナ」が実現してしまうことになりかねない。

　しかし、考えてみれば去年も一昨年もわたしはこの場で似たようなことを書いた覚えがある。もしかすると、ウィズコロナとは一種の健忘的な症例をもたらすのかもしれない。過去の想起が不全になるということで言えば、わたしはこのところずっと

「忘却と反復」をキーワードに美術批評を書き継いできた。それはコロナ・パンデミックよりもずっと前から、時を辿れば、戦後最大の災禍と呼ぶべき阪神・淡路大震災と地下鉄サリン事件が年初から相次いで起きた1995年にまでさかのぼる。この過去になく「悪い年」は、実に、わたしたちがバブルの余韻のなかですっかり忘れていた戦後の焼け跡から、ちょうど50年にあたる年でもあったのだ。わたしは、この悪い年の特性から、戦後日本の前衛美術も同様に記憶が忘却と反復、つまりリセットを繰り返す「悪い場所」のなかから出られずにいる、とした。

その後、この考えは2011年の東日本大震災と福島第一原発事故を経て、巨大な自然災害を繰り返す——まさしく「天災は忘れた頃にやってくる」——日本列島の地学的な特性と重ね合わされ、巨大な震災をめぐる記憶が忘却と反復を繰り返す悪い場所で、進歩と蓄積にもとづく普遍性を探求する美術はいかにして可能か、という問いへと置き換えられた。

だが、どうやらわたしはいま一度、この問いを刷新しなければならない時期に来ているようだ。コロナ・パンデミックという状況もまた、「波」というかたちをとって際限なく忘却と反復を繰り返す「悪い場所」に違いはないからだ。だが、今回はそのスケールが格段に異なる。

第一に、今回のウイルス感染症による「忘却と反復」は、日本列島の次元を超えている。まさしく地球全体が忘却と反復を繰り返す悪い場所そのものと化しつつある。そして、それはコロナ・パンデミックのなかで起きるだけでなく、仮に終息してなお、人類が文明のグローバライゼーションを手放さない限り、何度でも到来する恐れのある次なるパンデミック、そのあとのパンデミック、さらにそのあとのパンデミックという、より大きな時間の尺度のなかでも繰り返されるかもしれない。

そうなっていったとき、21世紀初頭の美術史は、いったいどのように書き換えられていくことになるだろう。なんとなれば、現代美術やアートの源泉ともいうべき20世紀初頭に起きた巨大なパンデミック（いわゆるスペイン風邪）がもたらした美術への多大な影でさえ、わたしたちはつい最近まですっかり忘れていたのだ。時間は直進して戻らないというこれまでの常識さえもが疑わしくなってくる。ましてや歴史をや。

モダニズムの純化がもたらした歴史の「免疫低下」

２０２２年12月2日

前回、20世紀初頭に前衛美術が勃興した時期と「スペイン風邪」の世界的大流行との関係について、これまで触れられてこなかった美術史的な次元での「忘却」について触れた。これについては、戦争のように加害／被害にまつわる人為性が明確でない感染症では、人の営みの集積である歴史への翻案が困難であった可能性もある。だが、今回のパンデミックで過去に起きたそんなにも大きな忘却が明白になったいま、今後この時期の美術史はいったいどのように書かれるのだろうか。

そもそも歴史には、最低でも１００年を単位とするような遠望性がある。言い換えれば、いまから１００年が経過した未来の時点から現在を振り返ったとき、21世紀初頭、２０２０年代のアートに与えたコロナ・パンデミックの影響が、歴史からすっかり抹消されていたとしたらどうだろう。歴史の記述にそんな極端な瑕疵《かし》が生じるはずがない、と即座に思うかもしれない。だが、１００年前の美術史の記述において実際にそれは起こったのだ。

いったいどのようにしたら、このような忘却を食い止めることができるだろう。それは同時に、わたしたちが現状なお続く際限のない感染の波の繰り返しから脱出する鍵にもなるかもしれない。もっとも、これは新型コロナ感染症が――いままさにそうなりつつあるように――インフルエンザやそれこそ「風邪」と同じ扱いを受けるようになることで、かつての日常が取り戻されるというのとはまったく別の次元の話だ。というよりも、そうなることでわたしたちは進んで過去の感染症の大流行を忘却し、歴史と引き換えに目の前の「日常」を回復してきたのではなかったか。

やはり、なにか根本的な認識の転換が必要なのだ。それは「ウィズコロナ」や「ポストコロナ」といった標語で片付くような代物では到底ありえない。

仮に現在のコロナ・パンデミックがひとつの山を越えたとしても、そのあともいつか別の新型ウイルスによるパンデミックが人類と対峙するだろう。わたしたちが自覚しなければならないのは、それがいったいどのような性質のウイルスなのか、という問題以前に、わたしたち人類の一人ひとりがそうした多種多様なウイルスの運び手そのものなのだ、という認識の転換なのではないか。

運び手といってもそれは、なにかものを運ぶ、というのとはむろん違っている。わ

2022.12.2

たしたち一人ひとりの呼気であり発汗であり、会話でありといった人と人との交わりそのものに感染症拡大の要因があるのだ。言い換えれば、わたしたちが生きて活動している、という生命現象そのものがウイルスの活動を活性化していることになる。極端なことを言えば、わたしたちがウイルスなのだ。

そのような活性化の一切を絶とうとするなら、わたしたちは生きることそのものを途絶させなければならなくなる。言うまでもなくそんなことはありえない。としたら、考えを逆転するしかない。つまり、わたしたち人類そのものが、根本的に交雑的な性質を持つものなのだ。と同時に、さまざまな局面で浮上する純化や無菌といった抽象化による無意味な理想化に抵抗し続けるしかない。

20世紀のアートを通じてモダニズムが推し進めた造形の純化や余計な装飾などの徹底的な排除は、根本的に交雑する存在であることに気づいてしまったわたしたちからすると、浄化という名のもと、歴史への免疫低下をもたらしていたように思えてならない。

美術館で靴を脱ぐ習慣はない

2022年12月16日

以前と比べ、都心でも街でマスクを外している人を見かけるようになった。国（厚生労働省）もすでに屋外では原則マスクの着用は不要としているので、当然と言えばそうなのだが、ほとんどの人はいまでもマスクを着用している。コロナでなくても、冬で空気が乾燥し、風邪やインフルエンザが流行る時期ということもあるだろう。しかし、マスクの習慣はすでにしっかり定着しているようにも見える。

マスクを着用した方が衛生的だ、素顔を見られたくない、気持ち的に楽だ、などいろいろな理由がありそうだ。だいぶ以前はマスクをしているのは風邪などをひいている人と相場が決まっていたものだが、そのうち対人恐怖などを抱えている人が風邪でなくてもマスクを日常的に着用するようになった。そして今回のコロナ・パンデミックでマスクはいまではもうすっかり顔の一部となった。言い換えれば、日本では多くの人がもともと対人に不安を抱えていたということかもしれない。

美術館への入場でも、手指の消毒とマスクの着用はあたりまえになっている。会話についても、以前は展示室内でずいぶん大声で話をしている観客がいたものだが、いまではすっかり影を潜めている。もちろん感染拡大防止が第一の理由なのだが、少し考えてみればこれは美術作品の保護という観点でもわるいことではない。

いくら湿度や温度、明かりやケースなどの工夫を凝らして作品を守ろうとしても、観客そのものが細菌やウイルス、菌類や花粉の媒介者だということがわかってしまった以上、展示室にはいくらでも異物が侵入してくる。というより、観客そのものが作品（文化財）にとって最大の異物だったのだ。手指の消毒やマスクの着用、会話の抑制は、そうした異物性を程度の差こそあれ低減させる効果がある。

とすると、残る最大の異物の侵入経路は靴底だろう。少し考えてみても、わたしたちが身につけているなかでこれほど汚れている箇所はない。だが、いま美術館で手指の消毒はあたりまえでも、靴底の消毒をしている例は見たことがない。

なぜしないのだろう。これはコロナでなくても以前から考慮されてよかったはずだ。もしも推し進めるなら、美術館に入場する際には靴を脱いでもらうということにならざるをえない。とはいえ、海外ではありえないようなそうした習慣も、日本ではさまざまな局面であたりまえになっている。

以前、建築家の磯崎新が、日本の畳の間はもともと土間に対する寝台で、寝台では当然靴を脱ぐ。ところが畳の占める割合が次第に家の全体を占めるようになって、とうとう玄関で靴を脱ぐ習慣が定着したのだと指摘した。外国ではなぜ日本では玄関で靴を脱ぐのか不思議に思う向きもあるようだが、玄関から先が拡張された寝台だとしたら納得もいく。

では、美術館はどうだろうか。美術館に寝台はないから靴は履いたままだ。寝台で靴を脱ぐのはその方が遥かに衛生的だからだが、感染症対策や文化財の保護ということで考えれば、鑑賞の際に靴は脱いだ方がいいに決まっている。だが、靴の管理には莫大な費用や場所の確保が必要だ。だから現実的ではないのだけれども、わたしたちは美術の鑑賞において靴の脱ぎ履きが持つ意味についてすっかり忘れてしまっていた。コロナがそれを思い起こさせたのだ。

二〇二三年

美術史の「健康」と免疫作用

2023年1月12日

年が明けて2023年となった。日本でコロナが顕在化したのは2020年のことだったから、ずいぶん長い時間が経ったものだ。時間と言うより年月、と言った方がいいかもしれない。いろいろなことが思い起こされるが、これが個人的なことかどうかわからないけれども、ひとつ浮かんでくるのは、コロナ以降、まったく風邪をひかなくなったことだ。

それ以前は、ひと冬に必ず何度かは熱や咳、鼻水などに悩まされたものだが、それが全然ないのだ。風邪だけではない。わたしはたいてい冬には型こそ違えどもインフルエンザに罹患していたのだが、それもなくなった。これは驚くに値する変化ではないだろうか。

真っ先に思い当たるのは、マスクの着用、手指の消毒、密を避ける、などだろうが、それでもコロナにかかる人はかかる。わたしの場合、コロナも発症していないから、いわゆる風邪とはまったく無縁となった。あるいは無症状のまま新型コロナウイルスが体内を過ぎ去っていったのかもしれないが、ワクチンを接種したいま、抗体検査をしてもコロナ前の抗体なのかがわからない。

けれども手放しで喜んではいられない。風邪をひかないということが健康とも言い切れないからだ。もともと人間の身体はある程度異物を取り入れて抗体を自然に形成し、その過程で症状が出るわけなので、症状がまったくないというのは、健全な免疫作用が働く手前で人為的なマスクや消毒液、生活様式の変更などでバリアーを張っているのかもしれず、それを健康と言うのは少し違う気がする。

わたしは美術評論家なので、ここから話が飛躍するのを許していただきたい。というのも、美術を評論するのに美術史は必須の知識だが、それをひとつの巨大な生体と捉えるならば、既存の美術史を守るためには、やはり一種の免疫に似たシステムが働いているのではないだろうか。言い換えれば、いつまでも代わり映えのしない、先の言葉で言えば「健康」そうに見える美術史は、実はさまざまなかたちで制度的に守られており、自助的な免疫作用によって保たれているわけではないのかもしれない。もしも免疫が健全に働いているなら、堅牢な美術史と言えども絶え間なく不快な症状が生じているはずで、それがないというのは、やはりあまりよいことではないと思うの

2023.1.12

だ。

むろん、美術史はつねに新たな発見や実証によって部分的に「症例」を引き起こしている。けれども、一般的には古い時代ほど重篤な症状は起きにくく、近代に近づくにつれ症状は深刻になりやすい。場合によっては、部分的な書き換えが必要な事例も出てくるだろう。だが、本来ならそれが「健康」ということなのかもしれない。

こうした現象は、現代になるほど極限化する。つまり、アートと呼ばれるような領域では、「生体」は絶え間なく外部からの異物による熾烈な侵入に晒されており、それとどのように対処するかが、実はアートが持つ可能性と考えてよい。言い換えれば、アートの世界では、あまり過度に過去の美術史に準拠しない方が、目前の生々しい現実に対応できるはずとも言える。コロナ・パンデミックはその最たるものだろう。仮にポスト・コロナなどと呼ばれるアートの様態があるとしたら、それはやはりコロナ以前のアートの「復旧」などとは全然違うものでなければならない。

わたしたちの身体はほかの身体との関係性のなかでしか成立しない

2023年1月26日

新型コロナによる感染状況の推移が、ここに来て奇妙な様相を呈し始めている。年末年始の街のにぎわいは過去数年では見られないものがあったし、移動の制限や営業の自粛もされていない。外見だけからすれば、かつての生活が戻ってきたように感じられるかもしれない。

ところがコロナ・パンデミックから4年目を数えても、感染者や死者数は依然として増え続けている。つまり実態は収束とは程遠い状況なのだ。にもかかわらず政府はこの春から新型コロナを季節性インフルエンザなどと同じ「5類」に引き下げ、これに伴い屋外だけでなく屋内でもマスクの着用を原則として求めない方向で検討に入った。

インフルエンザと同じと言っても、新型コロナにはワクチンこそあっても、タミフルやリレンザのような即効性の特効薬は存在しない。広義では風邪だが、風邪がそうであるように新型コロナも対症療法こそあれども、最終的には自己治癒能力で治すしかない。また風邪やインフルエンザに長期にわたる嗅覚障害をはじめとする後遺症というのは聞いたことがない。まだまだ未知の疫病であることに変わりはないのだ。

それにしても、新型コロナはなぜここまで増え続けるのだろう。マスクの着用は少しずつ緩和されつつあるとはいえ、街行く人のほとんどはいまもマスクを着けたままだ。手指の消毒や体温測定は継続的に実施されているし、感染を避ける知恵や手段も、経験的にさまざまな局面を通じて積み重ねてきた。なにかまだ見つかっていない感染のメカニズムがあるのではないか、などと疑心暗鬼になってしまう。

この週報が始まった当初、感染者数や犠牲者の数が国内で少なく、欧米で圧倒的に多かったことから、隠れた原因を「ファクターX」と呼ぶ向きもあったが、いまではほとんど聞かれない。欧米で新型コロナが制圧されつつあるのに対して、日本はまったく逆の推移を辿っている。わたし自身、日本では抱擁の習慣が日常的になく、家では靴を脱ぎ、ことのほか風呂好きであることなどにその理由の一端を求めたことがあったが、現況を見ると首を傾げざるをえない。

ひとつだけ言えるのは、これだけ長期にわたる感染拡大が続くことで、わたしたち自身にとっての人間の身体そのものへの捉え方が少しずつ、しかし確実に変わりつつあるのではないかということだ。マスクをしていても、無意識的に人との距離をとるようになったのは、わたしたちの身体が決して単独で存在するものではなく、つねにほかの身体との関係性のなかでしか成り立たないことを実感したからだ。

反対から言えば、わたしたちはウイルスなどの目に見えないなにかを通じて、つねに媒介者の立場にあることで、ようやく一人ひとりの人間でありうる、とも言える。かつてはそれを哲学の立場から間主観性などと呼んだこともあったが、いま起きているのは概念ではなく日常なのだ。

本週報の主題となる「遮られる世界」とはつまり、遮断がなければいくらでもつながっていくような世界がまずそこにあった、そういうことにやっと気づいたということでもある。遮られない世界がなければ、遮られる世界は存在しない。わたしたちがいまアートという思考の実験を通じて考えなければならないのは、ひょっとしたら「遮られない世界」がいったいどのようなものであったか、ということなのではないか。

磯崎新はパンデミックに備えていた

2023年2月9日

去る2022年、年の瀬も押し迫った12月の末、建築家の磯崎新が亡くなった。いや、わたしは磯崎のことを「建築家」とは考えていなかった。磯崎の思索がそうした一職業の枠を遥かに超えて思想家、文明史家の次元に達していたというのもあるが、ここでは、故人の言葉を借りてあえて「反建築家」と呼びたい。というのも、磯崎は建築をまるで「災害」や「疫病」のように捉えていたからだ。このように書くと穏やかではないが、磯崎の考える「建築」には、災害が持つ突発性や疫病の特徴である連鎖性が、確かに備わっていた。

磯崎については本週報でも開始当初、かつてかれが提示した「21世紀型オリンピックのための博多湾モデル」について書いたことがある。幻となった福岡オリンピック案として知られるが、それをこの場で取り上げたのは、主たる競技施設を主催する都市の中心部から離して博多湾の海上に設けた背景に、21世紀という時代が、突発し連鎖するテロに対しどのように向き合うか、という磯崎の見立てがあったからだった。いまや21世紀はテロというより疫病と戦争の時代となりつつある。だが、観客の大量動員や収容人数よりも、都心からの物理的な隔離性と、通信技術を駆使したオンラインによる中継を核に据えた磯崎によるリモート五輪の構想は、あらかじめパンデミックの時代の到来を予告しているかのようだった。

言うまでもなく、その頃はまだオンラインもリモートも、いまのような文脈では使われていなかった。ましてや、五輪のような国家的事業＝行事において、オンラインやリモートが主役となる時代が訪れるとは、いったい誰が想像しただろう。けれども、磯崎による幻の五輪モデルは、この意味で、無観客試合やソーシャルメディアによる五輪の遠隔的共有の可能性について、まるで幻視したかのように先取りしていた。

このように、磯崎の建築観には従来の建築を超出し、パンデミックと向き合うだけの通俗的な建築への反建築性があらかじめ備えられていた。そう、わたしがこの週報でふたたび磯崎の名を召還したのは、故人を追悼するためだけではなく、そのことを改めて胸に刻んでおきたかったからだ。

もうひとつは、磯崎の死因は新型コロナではなく、それどころか年齢からして天寿をまっとうしたと言うことができるが、しかし、少なくともコロナ・パンデミックの

2023.2.9

渦中で世を去った偉大な人物のひとりとしてあとから振り返られるだろうと考えたからだ。

昨年は磯崎だけでなく、すぐには思い浮かべきれないくらい多くの偉大な足跡を残した文化人、芸術家が他界した。いや、昨年だけではない。こうした訃報は今年に入ってからも続いている。パンデミックが宣言されてから、もうすぐ丸3年が経とうとしている。先に昨年は、と書いたけれども、むしろこの3年、と言い換えた方がよいかもしれない。やはり以前、20世紀最大のパンデミックである「スペイン風邪」で亡くなった数え切れないほどの犠牲者のなかに、多くの芸術家がいたことについて触れたことがある。現在、東京で大規模な展覧会が開催中のエゴン・シーレもそうだった。疫病の犠牲ということではないが、一斉とすら言いたくなる連鎖的な逝去は、はたして今後の文化や芸術にどのような影を落とすのだろうか。

コロナ禍で国家間の「誤記」は起こらないか

2023年2月23日

少し前、家に息子が使う地理の教科書が再送付されてきた。ぱっと見にはなにも変わらない。なんだろう、と思っていたら、驚いたことに1200カ所にも及ぶ訂正があり、再配布されたのだと先頃の報道で知った。しかも、文科省の検定に合格しているにもかかわらず、なのだ。気になって調べてみると、南米のマゼラン海峡とか、中国の山西省などにまつわる基本的なものまであるようだ。なぜ、このような事態になったのか。記事を読むと背景に新型コロナの感染防止で業務が在宅となり、校閲作業上でのコミュニケーション不足が絡んでのことだという。

コロナ禍で在宅勤務が増え、オンラインでのやりとりが激増したことについては、誰もが覚えがあるはずだ。わたしも当初は四苦八苦した。ただ、これを機にオンラインで済むぶんにはオンラインで、というやり方が定着したのも事実だろう。主に会議のたぐいだが、わたしはオンライン会議なるものがひじょうに苦手で、いまだに慣れ

2023.2.23

ない。なんというか、対話がもっとも重んじられるはずの会議というより、間を読んで順繰りに発言する報告会のようで、臨場感にも乏しく、生産性が著しく落ちているように感じられたからだ。アートにまつわることはなにより創造性が重んじられるので、他の分野と同じには考えられないかもしれないが。

ただ、出版や編集はコロナ禍の前からすでにおおかたがリモート・ワークに対応できていて、原稿の執筆などはもとからが自宅仕事だ。著者と編集者が必ず顔を突き合わせたのは、すでに遠い昔である。そんなふうに考えると、教科書をめぐる今回の異例な事態の本当の理由が、はたしてコロナ禍による自宅勤務の増加なのかどうか判断が難しい気もする。だが、それでも新型コロナウイルスの蔓延がなにがしかの影を落としているのは事実だろう。

アートの世界でも、感染リスクとなる「密」を避けるため、美術館やギャラリーでの設置で、アーティストやキュレーターが現場に立ち会うことなく、通信だけでやりとりをし、遠隔から指示を出すリモート展示がこのところ増えている。それはそれでノウハウも蓄積しつつある。しかし先のようなことがあると、本当にそれでよいのか心配になってくる。

わたしが思ったのは、コロナ禍を理由に遠隔的なコミュニケーションが増えることで、わたしたちはいつのまにか、対話において欠いてはならないはずのなにかを失ってしまったのではないか、ということだ。少なくともコロナ禍で、わたしたちは以前にも増してオンラインとそのインフラであるネットの内部世界へと依存するようになった。その結果、他者を「実感」してやりとりすることが減り、結果的に至るところで分断と衝突、敵意と憎しみが燃え盛るようになっている。

実は、このことは日常的なやりとりや日頃の仕事のうえだけでなく、国と国、政府と政府がやりとりする首脳陣同士でのあいだの外交や、世界の行く末を決める国際的な議論の場でさえ起きていないか。ことの重大さに違いこそあれ、ネットに頼るという点での危うさにはなんの違いもない。とすると、まさにコロナ下で勃発したロシアとウクライナとのあいだの戦争や、その後の欧米や中国、日本までも巻き込む泥沼化にも、もしかすると同じこと（たとえとして1200カ所にも及ぶ訂正）が背景にありはしないだろうか。

著名人、功績者たちの他界とコロナ禍そのものの「副反応」

2023年3月9日

少し前にこの欄で昨年末に亡くなった建築家、磯崎新について触れたが、今年に入ってからもあらゆる分野で次々と著名人、功績者たちの他界が続いている。新型コロナの犠牲になったということでなくても、コロナ・パンデミック下で亡くなったということで後々意味を持ってくるのではないか、というのはすでに書いた。それにしても多い。自分がどの人物から過去に強い影響を受けたかによって感慨も違ってくることだが、個人的に名を挙げても、世界最高峰のロック・ギタリスト、ジェフ・ベックや、米国の初期パンク・ロックの立役者でギタリストとしてもたいへんユニークな存在であったトム・ヴァーレインの死などは、かつてバンドを組み、かれらのギター・プレイに大きな影響を受けた身としては思うところが大きい。ギタリストと言えば久留米出身の鮎川誠、ほかに元ＹＭＯのドラマー高橋幸宏、ポップ・ミュージックの世界との結びつきが深かったアートディレクター信藤三雄らも次々と世を去っている。

音楽の、しかもポップ・ミュージックの世界だけでもこれだけの顔ぶれだ。が、それだけではない。ここに名を挙げた人たちに共通するのは、実は70代での死という、超高齢化時代の到来と逆行するような「若い」年齢なのだ。

もちろん、ここで新型コロナによる、たとえば未知のワクチン接種による副反応の潜在的な悪影響などについてあげつらうつもりはない。けれども、その早すぎる死が、ではたしてコロナ・パンデミックとまったく無縁であるかと言えば、そこについては考えてみる余地があるように思われる。なにせ、かれこれ3年にもわたって、それ以前とはまったく異なる「新しい生活様式」を強いられ続けたのだ。衣食住のすべてにわたって著しい変化があっただろう。それに、もともとが外へとおのれを表出し続けることで生き延びる力を発揮してきた表現者ならなおさらだ。その「外」が失われたなかで、ひたすら「中」へとこもることのストレスはいかほどのものだったか。

前回、わたしはロシアとウクライナとのあいだで始まったコロナ・パンデミック下の戦争について、外交や会談がリモートやオンラインに依存し、「内へとこもる」志向が著しく強まったことによる意思疎通の齟齬が影を落としてはいないか、と問うた。もしそうなら、同じようなことが、コロナ・パンデミックの時期に偶然であるかのように起きているこれら「大きな死」についても、なにがしかの関連があって不思議で

2023.3.9

はない。

たとえば震災では、直接に地震や津波の犠牲とならなくても、その後の長期にわたる避難生活や環境の激変、精神的なストレスや体力の低下による二次的な被害が生じることがわかっている。としたら、今回のコロナ・パンデミックから派生する、あえて形容すれば無形の「副反応」が、その本当の姿をあらわすのは、まだこれからかもしれない。2023年の春の訪れとともに、新型コロナが「5類」に移行されれば、街は外見上、かつてのにぎわいと平穏を取り戻すだろう。だが、一見しては「現役の高齢者」へと降りかかったかに見える「二次被害」が、それに後続する世代にとってどのようなかたちをとるかについて、わたしたちはまだ知らない。

夢のなかで人はなぜマスクをつけていないのか

２０２３年３月28日

今月から、国の方針で屋内と屋外とを問わず、新型コロナウイルス感染拡大防止のためのマスク着用は個人の判断に委ねられることとなった。もっとも、いまの時点で街の様子を見ていると、マスクを外している人は数えるくらいで、以前とさしたる違いは見られない。４月から学校が一斉に新学期を迎えるタイミングで、マスクをしない新しい習慣（新しい生活様式？）が目立つようになれば、社会全体でも少しずつマスクを外す人が増えていくことも予想される。少なくとも今後、マスクを着用する人は減りこそすれども、増えることはないだろう。

改めて思うのは、３年に及んだマスク生活の「風景」というものが、わたしたちの無意識にどれほど定着したのだろうか、ということだ。そんなことを言うのは最近、はたと気づいたことなのだが、夢のなかでマスクをしている人を見たことがないように思うのだ。もしかしたらこれはわたしだけのことかもしれない。だから、どれくらい一般化して考えてよいのかもわからない。けれども、コロナ禍となってからの夢の記憶（という言い方もなにか変な気がするが）を掘り起こしてみても、マスクをした人の顔というのがどうしても思い出せないのだ。

もしそうなら、あれだけマスクの着用に細かく気を使っていた期間が長く続いたにもかかわらず、夢のように無意識の奥底に沈んだ原風景のなかでは、意外なくらいマスク姿というのは定着していないのではないか——そんなふうに感じたのだ。もちろん、夢に出てくる人はコロナ前に知り合ったばかりではないはずだし、全然見知らぬ人が出てくる可能性だって多々ある。それにしてもなお、マスクをしている人に夢で出会うことがないのは、いったいどういうことなのだろう。

はたして、（少なくともわたしの）夢のなかでは、マスクをしている顔の認識を避ける作用でも存在しているのだろうか。仮にそうだとして、わたしはマスクをしている人の顔をどこかで避けたいと思っているのだろうか。それとも、顔という認識もしくは記憶は、夢のなかでは眼の周辺だけではうまく成り立たないような代物なのだろうか。

はっきりしたことはわからない。思い当たるのは、ちょうどいまから100年ほど前の20世紀初頭に開花した一大芸術運動であったシュルレアリスムが、夢という「無菌空間」から多大なインスピレーションを受けていたことである。同時にそれがスペイン風邪という死に至るパンデミックからの逃避的な性質を持っていたのではないか、ということについて、ここで改めて考えてみたらどうだろう。長いコロナ禍にもかかわらず、シュルレアリスムの生み出す景色に、一見してはスペイン風邪の影響が見られなかったのと同じように、コロナ禍が終焉したかに見えるこの春以降に生み出される「ポストコロナ」のアートにも、コロナ禍を経過したと思われる具体的なイメージ（その典型がマスクだ）は含まれることがないように見える。

そうしてわたしたちは、ポストコロナのアートが、ポストコロナ禍でこそ生み出されたことを忘れていくのだろう。かつての「スペイン風邪以後《ポスト》のアート」が、他でもないスペイン風邪禍によって生み出されたことを、巨大なパンデミックがふたたび人類全体を襲うまで、誰もが長く忘れてしまっていたように。

新型コロナが去ったあとのアートとは

2023年4月6日

新年度が始まった。家の近くの著名な桜並木にもかつてのにぎわいが戻ってきた。最寄りの駅は交通整理で大混雑だ。外国人観光客も多い。花見酒に酔ってか顔を突き合わせ唾を飛ばし言い争う姿を本当に久しぶりに見た。飲食店はどこもぎゅうぎゅうの満席だ。おのずとマスクを外す人の姿も日を追うごとに増えていく。コロナ禍は今度こそ本当に去ったのだろうか。

けれども、一見してはそう見えても、かつてとまったく同じとは言えない。持病を持っている人にとっては依然、新型コロナが命にかかわる事態を招きかねない恐ろしい病気であることに変わりはない。なにせ、いまだ治療法が確立していないのだ。街で行きつけにしていた古くからの飲食店も、コロナの余波でここ数年にかけ次々と店をたたみ、いまはもうない。かつては深夜までにぎわってなかなか席を確保できなかった人気の店も、夜9時近くなると客足が鈍り、予約をせずとも入れるようになった。

終電も早まり、夜が深まると街は急速に寂しくなる。閉店の時間を早めた店も多い。聞けば、もう戻す予定はないという。家路を急ぐ人たちからは店を梯子する習慣が消えたかのようだ。

　生活や仕事の各所でオンライン化した習慣もすぐに元に戻るわけではない。在宅勤務に合わせて都心から離れ地方に移った人も少なくない。海外への渡航はようやく正常化しつつあるけれども、遠出をすることの費用やリスクはむしろ高まっている。そこへきてＳＮＳや配信に頼る傾向は増加しているから、全体に行動が内向きになっているのは否めない。煎じ詰めて言えば、コロナ禍を通じて、わたしたちの「衣食住」という暮らしの根幹が総体として内向きへと不可逆的に変化してしまった。「遮られる世界」は、非接触の利便性のみ残し、「遮られた世界」のまま平常を取り戻しつつあるのだ。

　けれども、どんなにリモート化が進んでも、わたしたちの身体そのものがオンライン化できるわけではない。そもそも、わたしたちの身体が新型コロナウイルスによって危機に瀕したからこそ、世界は生身の身体を尺度に個々の領域へと分断されたのだった。近年話題になることの多いメタバースにせよ同様だろう。インターネットのなかでわたしたちの身体を仮想しようとする試みは、なによりわたしたちの生身の身

2023.4.6

体を懸命に守ろうとする衝動によって突き動かされている。その意味で、わたしたちの身体への執着は、無意識的に強まっているとさえ考えられる。

こうしたことを考えたとき、新型コロナが去ったあとのアートについてわたしたちが考えなければならないのは、表現において一見してリモート化が進んだとしても、その実、深層には身体への恐れや有限な生命への執着（種の保存？）がこびりついているということだ。そして、それが恐れや執着であるなら、わたしたちは無意識的にそれを「否認」し、結果として積極的に忘れようとさえするだろう。だが、それが忘れるという消極的な対処である限り、恐れや執着は様相を変えて意識に昇り、ある種の症例として顕在化する。フロイトの精神分析や夢判断にあるとおりだ。としたら、今後のアートの行方を占ううえで、本週報でも間欠的にキーワードとなってきた「夢」という現象の推移に、わたしたちは以後いっそう注目する必要があるのではないだろうか。

「作品のない展示室」がかつてなく新鮮だった 2023年4月20日

新型コロナに今度こそ本格的な終息が訪れ、本週報もいよいよ終幕が近づいてきたようだ。そこで今回は、3年強に及ぶパンデミック時に美術の世界でどのような変化があったかについて、ごく簡単だが振り返ってみたい。

世界パンデミック宣言がWHOによって宣言された2020年3月以降、コロナ禍はたちまち世界の隅々にまで拡大した。多くの美術展が開幕延期となり、あるいは展示を終えているのに公開ができず、未知のウイルスを前にどこまで対応してよいものか、美術館をはじめとする展示施設にくまなく暗雲が垂れ込めた。いま思えば、美術では一部の特殊な形態を除けば、演劇や音楽のように声を出して表現し、目の当たりに鑑賞するということはない。客席と違って、来場者はおのおののリズムで距離をとって展示に接することができる。感染がクラスター状に広がることは考えにくい。もっと緩やかな運営がいま少し早くからなされてもよかったのかもしれない。

2023.4.20

もっとも、入場のための事前予約や日時指定が必要となり、手続きが面倒になったり、個人情報を提供しないといけなくなったりした面は否めない。美術館にはふらっと向かう楽しみもあったから、そういう気軽さが失われた面もある。だが、映画や演劇、音楽はもうずっと前からそうなっていたし（言い換えればそれらにも以前にはふらりと観に行く習慣が強かった）システム上で美術が遅れていただけ、と考える向きもあるだろう。それに以前のように長蛇の列で入館まで何時間も待たされ、入場しても目当ての絵の前を素通りしただけ、というようなことがなくなったのを歓迎する人も少なくないに違いない。

そのような長蛇の列を、むしろ収益上で歓迎する超大型企画、いわゆる「ブロックバスター展」は、確かに一時は影を潜めた。けれども、コロナ禍が終息すれば、ふたたび盛んになることも十分に考えられる。ここではその是非は措くとして、コロナ禍で海外から名画、大作を借りてくるのが難しくなる一方、限られた国内の文化資源で工夫して展覧会を開くという点では、実はかえって興味深い企画が少なからず開かれたのも事実だった。

思いつくまま挙げても、昨年の秋に練馬区立美術館で開かれた「日本の中のマネ」展は、フランスやイギリスからマネの代表作がお目見えしない反面、国内で近代以降に紹介、収集、公開されてきたマネや、その触発下に作られた作品だけを集めた、たいへん示唆に富んだ展覧会だった。

マネと言えば美術史で知らぬ者のいない大画家で、なおかつ日本でもっとも人気があるとされる印象派の父のように思われてきたものの、いまひとつ実感がわかない側面がある。マネが近代画家の代表なら、もしや日本は近代絵画の本質を取り逃しているのではないか、そんな根源的な問いは、このような企画からしか見えてこない。

見えてこないと言えば、世田谷美術館が、感染拡大防止対策のもっとも厳しかった2020年の夏に、作品を展示するのではなく「作品のない展示室」そのものを見せるという大胆な企画に踏み切った。これを展示と呼んでよいものかわからない（作品がないので展覧会ではない？　しかし会期はあった）が、行き届いた清掃と窓からの借景だけで十分に視覚的に成立するというのは、かつてなく新鮮な体験だった。

今後コロナはどのように忘れられるか

２０２３年５月４日

３年以上続いてきた本週報も、とうとう最終回を迎えた。いま確かめてみたところ、記者の方から最初の依頼がわたしのもとに届いたのが、ちょうど２０２０年の３月11日のことだった。この日は東日本大震災から９年目の日にあたっていたが、ＷＨＯが世界に向け「パンデミック」を宣言した日でもあった。その宣言が取り下げられたかというと、実はまだ取り下げられてはいない（その後２０２３年５月５日、ＷＨＯにより緊急事態宣言については解除）。つまり、世界はいまだ新型コロナウイルス感染症による大流行の真っ只中ということになる。だが、コロナ禍は着実に終息しつつある。このギャップはいったいなんだろう。

ふつうに考えれば、「もはやパンデミックはない」と公認されてから解除されてよいはずのことが、どんどん前倒しされている。思い出すのは、先に触れた東日本大震災をきっかけに起きた福島第一原発事故で政府が発令した「原子力緊急事態宣言」も、同様にまだ解除されていないということだ。つまり2023年4月の時点で、わたしたちは依然として原発事故による「緊急事態」と、新型コロナウイルスによる「パンデミック」というふたつの異常事態の渦中にいることになる。が、そんなことを文字どおりに受け止める人は、もはやほとんどいない。

それどころか、世界は急速にパンデミック以前の日常を取り戻そうとしている。結局わたしたちは、「ポストコロナ」や「ウィズコロナ」を通じて生き方を変えたというよりも、コロナで被った大損を取り返そうとするかのように、「コロナ以前」へと大急ぎで引き返しつつあるのだ。

たとえば、3月末に閣議決定された「観光立国推進基本計画」（2023年度から）では、訪日外国人旅行消費額5兆円、国内旅行消費額20兆円の早期達成を目指す（観光庁HP）。宣言が解除されないまま、インバウンド事業を主軸とする「観光」モデルが、まるでコロナ禍などなかったかのように国の力で大幅に底上げされ、急激に過熱化すれば、新たな未知の感染症が発生するリスクも桁違いに上昇する。そこでは、観光の目玉としてアートも大きな働きをなすはずだ。「遮られる世界」で真っ先に後回しにされた文化・芸術は、「遮られた世界」から人々が回復するためなら、格好の口火とされる。

2023.5.4

いずれにしても、そうして「新型コロナウイルス感染症」は、急速に忘却されていくのだろう（ただでさえ覚えにくい名称だった）。１００年前の「スペイン風邪」でさえ、そうだったのだ。それで言うと、わたしたちが未知のウイルス感染を恐れ家に閉じこもっていた頃、イタリアの作家、パオロ・ジョルダーノの『コロナの時代の僕ら』が世界26カ国で緊急出版された（日本では早川書房、翻訳＝飯田亮介）。その「あとがき」でかれは「すべてが終わった時、本当に僕たちは以前とまったく同じ世界を再現したいのだろうか」、「そのうち復興が始まるだろう。だから僕らは、今からもう、よく考えておくべきだ。いったい何に元どおりになってほしくないのかを」（傍点筆者）と記している。それはイタリアでコロナの感染者がバタバタと倒れていくなかで書かれた。でも本当は、いまこそ読まれるべきものかもしれない。

本週報も当初、単発の読み切りの提案があった。それが短期集中となり、次に毎週となり、やがて隔週となって、とうとう3年以上にわたり書き継いだ。内容もウイルスのように次々と変異した。だからこそ、これが本当の「最終回」となることを心から望む。

あとがき

　本書は、ほかでもない新型コロナウイルス感染症のパンデミック宣言が世界を震撼させた2020年3月11日に、西日本新聞社の記者、内門博さんから届いた一通の執筆依頼のメールに端を発している。そこには「『震美術論』などで日本の地質学的条件をもとに美術を捉え直した椹木さんが、今回の新型コロナ感染拡大のアートへの影響、あるいはそもそもの感染症の歴史とアートの関係などについてどのように今お考えになっているのか、大変興味があります」とあった。確かにわたしはこれまでも戦争、震災を軸に美術をめぐる「忘却と反復」について書いてきた。そこから出てきたのが「悪い場所」という言葉でもあった。なので、日本（『日本・現代・美術』）や日本列島（『震美術論』）だけでなく、地球全体が人類規模で「悪い場所」となったコロナ・パンデミックについて、美術《アート》を通じて考えてみるというのは、絶好の機会だった。最初にそのような場を与えてくれた内門さんに深く感謝する。

　まえがきや本文でも書いたが、連載はおおよそ二週間に一度のペースで続けられ、2020年の3月に始まり、2023年5月の「5類」移行を目安に終了した。足掛け4年にわたったことになる。紙面でのタイトルは「遮られる世界　パンデミックとアート」であったが、刻々と変異するウイルスとの関係について書くのは、これまでわたしが手掛けてきた長編評論や書き下ろしとはまったく性質を異にし、また、先の読めない状況について週を単位に考えていくというこれまでにないスタイルの連載であった。そのため、当初は書籍タイトルとして『コロナ週報　パンデミックとアート　2020-2023』というものを考えていたが、単行本化に思わぬ時間を費やしたため、現在のものに変更した。もっとも、本文についてはそのときどきの思索の記録という意味を重んじ、手直しは最小限に留めている。実際、本書ではパンデミックが戦争のリスクを低減する、などといういまから読むと的外れなことも記している。同一のモチーフについてさまざまな角度から「反復」している箇所もところどころ見受けられる。けれども、そのようにしてしか書けないのがパンデミックであったし、逆に言えばこのこと（戦争とウイルス）はこれから訪れる未知の事態では別の意味を持つかもしれない。結果的に本書は新型コロナの5類移行からほぼ1年後に刊行されることになった。きっと、これもなにかの導きだろう。

　単行本化については、この連載にいち早く注目し、単行本にと連絡をくださった左右社の東辻浩太郎さんのお世話になった。とりわけ東辻さんが筆者の依頼に応じて詳しく調べてくださったパンデミックの現況については、本書にとっても驚くような発見があった。わたしたちの多くは現在、パンデミックは終息したと見做して行動している。けれども、その背景となっているのは、IHR（国際保健規則）のリスク評価に基づいて2020年1月30日にWHOから発せられた「国際的に懸念される公衆衛生上の緊急事態」の「解除」の方で、パンデミックの終息宣言というのは、実はどこからも出されていないのだ。

実際、東辻さんの国内調べでも「パンデミックが明確に続いているとは言い切れない。終息していると言って差し支えない」（内閣感染症危機管理統括庁。電話問い合わせへの回答として、ほかに厚生労働省、東京都保健医療局などもほぼ同様）ということで、せいぜいが「このパンデミックも初動期、そして中間期から終息期に入り〜」（武見厚生労働大臣の23年12月の定例会見での1年間の振り返りより）というのが伝えられた程度で、パンデミックの終息を明確に宣言した首相や国の発表は現状では見当たらない。

いずれにせよ、新型コロナウイルス感染症をめぐる「パンデミック」については、いまだ終結が宣言されていない、というのが確かなところのようなのだ。誤解を恐れずに言えば「新型コロナのパンデミック」はまだ終わっていない。また、「将来的にウイルスの特性に更なる変化等があれば、呼称を見直す」とも告示されている

（2023年3月13日付厚生労働省）。紛らわしいのは仕方ないとしても、パンデミックにまで至る歴史的事態の要因となったウイルスの呼び名そのものが変わってしまって、はたしてよいのだろうか。

かように、今回のパンデミックや新型コロナについては、ウイルスの挙動だけでなく、それをめぐる概念についてもわからないことが依然として多い。つまり、今回のパンデミックは、言葉を真の意味で扱う「批評」の問題でもあるのだ。あれだけ危機感を煽り、人類を右往左往させた「パンデミック」や「新型コロナ」という概念が、実は定義によって判断の変わる玉虫色のものであったことに改めて着目する必要があると同時に、このことがこのパンデミックをめぐる世界的な「忘却と反復」を推し進める一端になっているのは、間違いのないところだろう。各所にあたってくれた東辻さんに深く感謝したい。

ブックデザインについては、松田行正さんのお手を煩わせた。わが意を得た意匠には脱帽するしかない。篤く御礼申し上げる。

2024年3月28日　椹木 野衣